D0289656

Rahel,
ma grande sœur

Ouvrages du même auteur

PORTRAIT DE GRISÉLIDIS (Colbert).
LA MAISON NE FAIT PAS CRÉDIT (Bibliothèque française).
PAR DE PLUS LONGS CHEMINS (Stock).
LA LUTTE INÉGALE (Julliard).
CONTES DE PERSE (Éditions G.P.).
JAVA, BALI (Rencontre).
CIVILISATION DU KIBBOUTZ (Gonthier).
VENUS DES QUATRE COINS DE LA TERRE (Julliard).
LE BRUIT DE NOS PAS (Grasset).

I. *Apprendre à vivre*
II. *Nos vingt ans*
III. *Les combats et les jeux*
IV. *Voici que vient l'été*
V. *La fin et le commencement*
VI. *Et pourtant j'étais libre*

Clara Malraux

Rahel, ma grande sœur

Un salon littéraire à Berlin au temps du romantisme

Editions Ramsay
27, rue de Fleurus, 75006 Paris

ISBN 2-85956-142-0

Femme qui trouve dans son éternelle origine, sa blessure et son orgueil.

Marcel Arland

Ça y est, je suis enfin débarrassée de mon moi, sous sa forme la plus directe, les mémoires sont achevés, je vais pouvoir m'occuper d'autre chose, d'un autre quelqu'un plutôt. Rahel, avant que je ne meure, me permettras-tu cette « penchée » vers un autrui qui, pour moi, n'est pas un étranger et dont j'ai tant besoin ? C'est que je t'imagine un peu comme une grande sœur, plus désarmée que moi par ton époque mais mieux armée par la qualité de ton intelligence, par ton intensité, par ta liberté d'expression.

Et puis, il n'y a pas que toi que j'imagine, à tort ou à raison, proche de moi, il y a aussi ton siècle qui me semble frère du nôtre, tiraillé comme le nôtre entre le rationalisme et le mysticisme, incertain du sens de ses gestes, hésitant, après des années de certitudes diverses, quant au sens même de sa *présence,* découvrant la multiplicité terrestre. Oui, ton époque préfigurait la nôtre, en était un peu une ébauche : tout peut naître de nos engagements, le meilleur et même la catastrophe qui mettra fin au « numéro » terrestre. Sur un autre plan, non seulement le rapport du maître et de l'esclave — que Hegel précisait alors — de nos jours comme des tiens, a été remis en question mais aussi le rapport des nations entre elles, de l'homme avec la femme, des parents et des enfants, de nous, créatures humaines, et de la création. Tout cela tu l'as connu comme je l'ai connu, et aussi cette condition juive que tu as rejetée sous la forme où on voulait te l'imposer, pour l'assumer quand elle cessa d'être une barrière entre la culture ambiante et toi. Pour moi, je l'ai connue sous une forme plus dure qui, permettant le combat, était moins humiliante.

Oui, je pense à toi comme à une grande sœur que j'aimerais indulgente envers moi comme une mère. Et me voilà imaginant qu'une fin d'après-midi, à demi allongée selon mon habitude sur mon divan, peut-être un peu assoupie, je vois entrer une femme d'une quarantaine d'années, un peu lourde, les cheveux noirs noués en haut de la tête, quelques boucles encadrant le visage, ni grande ni belle mais fine et délicate de visage et de taille, avec des yeux qu'on « n'aurait pas osé affronter avec une mauvaise conscience ». Le tout en somme plutôt plaisant mais, selon des témoignages — le sien y compris — ne constituant nullement ce qu'il est convenu d'appeler la beauté. Au fait, voilà un autre point de ressemblance entre nous : toutes les deux nous n'avons été jolies qu'aux yeux de ceux qui nous aimaient.

Ma visiteuse s'est enfoncée dans un fauteuil en face de moi — elle est petite — le visage éclairé par la lampe de chevet, les jambes parallèles — on ne les croisait pas de son temps.

« Vous allez parler de moi, dit-elle. Vous ne trouvez pas qu'on m'a déjà assez malmenée?

— Oh, fais-je, ce n'est pas un livre d'érudition mais un livre de complicité que je veux écrire.

Elle poursuit :

— Une telle veut que la façon dont j'ai ressenti ma condition de Juive puisse expliquer le plus clair de mes actes, tel autre m'accable sous des considérations sociologiques, voit en moi le produit d'une certaine époque, d'un certain conditionnement social — ce qui n'est pas tout à fait faux, pas plus d'ailleurs que d'attacher une grande importance à mon judaïsme, bien qu'ils furent tous deux moins déterminants qu'on ne l'imagine. Oui, je suis une bourgeoise juive, née au moment où la bourgeoisie était « montante », oui, j'ai assisté — de loin — à la Révolution française dont j'ai subi les bonnes et les mauvaises répercussions. J'ai connu le déferlement sur nos villes et sur nos campagnes des troupes napoléoniennes; j'ai vu, après leur défaite, la réaction devenir maîtresse, renier les engagements pris quand on voulait que nous, Juifs, participions à l'effort national. Mais surtout, j'ai vu la fin du *Sturm und Drang,* autre visage de l'*Aufklärung* , ces Lumières marquées par l'esprit français . Goethe lui, participa au classicisme après avoir participé au *Sturm und Drang* qui préfigurait le romantisme, ce romantisme dont j'ai reçu chez moi les acteurs les plus marquants. Ils ont été mes amis, ces écrivains, ces philosophes qui m'appelaient « la chère petite » et transformaient mon nom en diminutif, « Râlette ». J'avais conscience de ce que j'étais, mais pas plus et pas moins. « Toute ma vie, je me suis prise pour Rahel et rien d'autre », ai-je un jour affirmé. J'ai vu l'Allemagne se faire sous mes yeux, j'ai connu sa renaissance culturelle, aussi importante que le fut la Renaissance française ou italienne. Après avoir, par deux fois, été douloureusement rejetée, j'ai enfin été aimée par un homme qui m'acceptait totalement. »

Je n'ai pas osé lui dire alors que c'était peut-être là, pour moi, le plus étonnant de ce qu'elle venait de m'apprendre, tant j'ai vu les hommes en ce XXe siècle s'efforcer de modeler leurs compagnes selon leurs désirs.

L'Allemagne où a commencé de vivre Rahel était une Allemagne parmi d'autres, parmi trois cent soixante-douze exactement. Chacune avait sa structure propre, son gouvernement, sa cour qui jouait les petits Versailles. Derrière cette Allemagne prussienne, celle de Rahel, se dessinaient la guerre de Trente Ans, la guerre de Sept Ans et leur misère, les deux Frédéric aussi, celui surtout que Goethe qualifia de « vassal de Voltaire » mais qui après avoir, des années durant, joué les petits mécènes —

les grands, ce furent les suzerains de Weimar, d'Iéna qui les incarnèrent — se révéla d'une adresse diabolique, constitua, arrondit, clôtura un domaine destiné à avoir un avenir européen, devint l'égal presque des Habsbourg. Berlin cependant restait une petite ville aux réverbères falots, sans autre université qu'une miteuse école de médecine, sans café où auraient pu discourir les Jacques le Fataliste locaux, presque sans vie sociale, ayant pour seul contact avec la culture, un théâtre où jouait une troupe de qualité, dont les spectateurs pour la plupart étaient des fonctionnaires, représentants attardés d'une bourgeoisie qui avait été une des premières d'Europe mais que les luttes internes et externes avaient détruite.

Peu à peu pourtant Berlin ressuscitait, grâce en partie à la présence des huguenots émigrés de France. Ils travaillaient, ils s'enrichissaient, ces huguenots. Suivant le conseil de Frédéric II, ils construisaient et bientôt s'éleva sur les bancs de sable brandebourgeois une ville moderne, aux allées larges et droites, aux amples places géométriquement rondes, aux façades nettes, ville sans fantaisie mais se prêtant aux échanges commerciaux et permettant des échanges sociaux jusqu'alors inconnus.

Reste que la communauté huguenote n'était pas, dans ce Berlin provincial, le seul élément non indigène : une communauté juive était présente, depuis le Moyen Age, dans les Allemagnes. Les persécutions à l'Est augmentaient ses membres. Berlin comptait, vers la fin du XVIIIe siècle, une cinquantaine de familles lui appartenant.

Rahel était juive. Que signifiait ce fait à l'époque? D'abord et avant tout, pour une créature, homme ou femme, avide de culture, avide d'échanges intellectuels, une coupure complète avec le monde extérieur. Errant de-ci de-là, chassée d'Autriche pour être massacrée en Pologne, brimée sur tous les plans dans une Allemagne haineuse malgré quelques phrases bienveillantes prononcées, parmi d'autres hostiles, par Luther, cette communauté religieuse et partiellement ethnique gardait, moitié par sa volonté propre, moitié par le rejet du monde extérieur, ses particulariés originelles : rites, festivités, usages, vêtements et même langage. Réduite à vivre dans un repli presque total — ses contacts avec les pays lointains, fréquents, n'ayant lieu qu'avec les siens — son activité culturelle, si brillante au moment des échanges du siècle d'or hispano-judéo-arabe, se réduisait alors en réflexion sur les textes sacrés et en créations folkloriques. Quand enfin la communauté s'ouvrit au monde, elle n'avait que son héritage traditionnel à offrir en échange de ce qu'elle recevait dans le domaine culturel. Spinoza, Maïmonide étaient loin dans le temps si leur présence intellectuelle continuait de s'affirmer. De cela il faut que nous prenions conscience, nous les survivants du dernier pogrom. Même insultés, même humiliés, même massacrés, ceux à qui importait une certaine forme de conscience d'eux-mêmes savaient que, parmi les leurs, étaient nés un Einstein, un Freud, un Kafka, que la présence active du judaïsme, non seulement dans un passé légendaire mais dans un présent difficile à nier, révélait les traces certaines de leur passage. De cela, peut-être, Mme Hanna Arendt qui écrivit tout un livre sur la douleur pour Rahel d'être juive — elle eût pu en écrire un semblable sur la même souffrance éprouvée par Heine — aurait dû prendre conscience : la persécution est moins dure à supporter quand on la sait totalement et absolument injustifiée et que, de ce fait, l'ennemi se transforme en ennemi de l'humanité. Mais, vers cette fin du XVIIIe siècle, les pogroms étant devenus relativement sporadiques, le repli vers un pays d'accueil restait possible — ce qui ne fut pas le cas pour nous à partir de 1933, année de la prise de pouvoir de Hitler. Cet accueil cependant se présentait dans les pires conditions et n'offrait aucune garantie de pérennité.

Dans la Prusse de Frédéric II, deux portes seules à Berlin étaient ouvertes aux Juifs; pour les franchir il leur fallait payer un droit dont le montant était, volontairement, le même que celui d'une tête de bétail. Une fois dans la ville, des impôts particuliers continuaient de les accabler qui, au moment où surgirent pour la Prusse les difficultés économiques nées des diverses guerres, passèrent de 15 000 à 25 000 thalers. Au même moment on renforça le prix des actes de mariage. Mais, *last but not least*, un impôt particulier des plus curieux, totalement arbitraire, les frappait, eux et eux seuls : la contrainte d'acheter les porcelaines nées dans la fabrique royale. Car le roi de Prusse, dans ce domaine aussi, avait rêvé de concurrencer la France. Mais la production locale s'étant avérée de mauvaise qualité, nul n'en avait voulu; il fallait donc s'en débarrasser de gré ou de force. De cette tâche sans gloire, on chargea les Juifs qui furent contraints d'acheter ces rebuts jusqu'à concurrence de 3 000 à 5 000 thalers annuellement, somme immense pour certains groupes familiaux pour qui cela représentait les revenus de plusieurs années. Les Juifs étaient corvéables sans qu'aucun système de défense pût freiner l'arbitraire de l'Etat ou de ceux qui avaient eu la chance de naître chrétien. Rien ne les mettait à l'abri du geste de colère d'un voisin qui, d'un coup de couteau, les faisait passer de vie à trépas : la chose ne valait qu'une raisonnable amende. Tout cela, bien que Frédéric II eût pris quelques mesures bienveillantes envers ces malheureux considérés comme « des coupables, des criminels, des assassins, des adultères, des pécheurs », qu'il n'était pas question d'admettre dans les guildes des bons et loyaux commerçants.

Au XVIIIe siècle, une philosophie commença à se développer, qui mettait toutes les croyances en doute au nom d'une approche nouvelle de l'homme. Etre coupé du reste du monde se justifiait de moins en moins. Adhérer pleinement au judaïsme, à l'époque, n'était-ce pas — si l'on n'était pas Mendelssohn — se séparer du mouvement culturel de son entourage ? Heine, sans bassesse, a pu croire d'une part que « l'acte du baptême était le billet d'entrée dans la société », d'autre part que « le judaïsme est une cause perdue de longue date ». Rahel n'était pas une de ces riches bourgeoises que les nobliaux mecklenbourgeois commençaient à rechercher en mariage. Aussi n'y a-t-il sans doute pas lieu de s'indigner quand elle qui, durant son court exil à Paris, a évoqué avec nostalgie les fêtes familiales, écrit en 1795 :

« Il m'arrive d'imaginer qu'au moment où j'ai été jetée dans ce monde, une créature extra-terrestre a gravé dans mon cœur "sois sensible, vois la création comme peu l'ont vue, sois grande et noble, je ne peux t'enlever une commémoration éternelle", mais il y a une chose que l'on a oubliée : sois juive, et voilà que ma vie n'est plus qu'une plaie saignante. »

Plus tard, beaucoup plus tard, elle pensera qu'il lui avait fallu connaître cette épreuve pour parvenir à devenir elle-même.

Le père de Rahel faisait partie des Juifs tolérés. Il exerçait la double fonction d'orfèvre et de banquier, l'une et l'autre à un niveau moyen : ce n'était ni un homme riche comme le baron Arnstein — le premier baron de l'Ancien Testament selon Custine — ni un homme pauvre; il se contentait d'une aisance moyenne qui lui permettait d'occuper une maison assez plaisante dans la *Jaegerstrasse* et de bien élever ses enfants mais ne lui donnait pas cette illusion de sécurité, cette conscience de soi que connurent les Juifs de cour, illusion qui, pour certains, aboutit à la catastrophe.

De cet homme, il existe un portrait qui nous le montre avec un visage rond, rasé — ce qui était interdit aux Juifs de peu — une perruque aux cheveux étagés en boucles, un costume selon la mode de l'époque, une canne à bout d'argent tenue avec élégance par la main droite, un demi-sourire aux lèvres — rien en somme qui le distinguât de ses égaux chrétiens.

Avant la naissance de Rahel, sa femme et lui avaient eu trois enfants morts en bas âge, ce qui était courant à l'époque. Ce genre d'événement affectait-il autant les parents qu'il le ferait aujourd'hui? J'ai, pour ma part, assisté à ce processus dans ce que l'on appelait encore l'Indochine : un enfant naissait, mourait, la mère sans délai en suscitait un autre qu'attendait peut-être le même sort. Le tout avec une acceptation atroce. Notre génération, n'aurait-elle fait que mettre un terme à pareil processus, sa présence terrestre se justifierait.

Après la mort de ses premiers-nés, le couple Levin mit sur notre terre Rahel d'abord, puis trois autres enfants, Markus en 1772, Ludwig — qui fut le frère préféré de Rahel et devint lui-même écrivain et collaborateur de nombreuses revues — Rose en 1781, enfin Maurice en 1789. Après quoi le père Levin mourut, arrêtant net la fabrication de sa progéniture. Comme il arrive souvent dans les familles juives depuis qu'elles connaissent de rapides changements sociaux auxquels les veuves s'adaptent difficilement, la fille aînée, Rahel en l'occurrence, prit la place de sa mère dans le rôle d'éducatrice. Auparavant cependant, la présence paternelle s'était durement fait sentir sur Rahel : intelligent, cultivé, le père Levin n'en était pas moins tyrannique. Selon Rahel, il aurait brisé en elle « tout courage pour le bonheur » et l'aurait « dépouillée de tout talent pour l'action sans parvenir pourtant à affaiblir son caractère ». Henriette Hertz qui, plus âgée que Rahel, eut, elle aussi, un salon à Berlin — nous en reparlerons — a laissé de cet homme un portrait assez cruel : « C'était, a-t-elle dit, un homme rude, sévère, violent, capricieux, génial (au sens allemand qui ne recoupe pas tout à fait le sens français), presque fou. Il écrasa Rahel, la marqua pour la vie entière... C'était le plus spirituel des despotes imaginables et de ce fait le plus blessant. Ce qui lui importait peu. En vérité, son plus grand plaisir était de déplaire. »

Ce goût de déplaire allait loin dans le détail : Levin refusait de célébrer les anniversaires de ses enfants — usage auquel on tient beaucoup en Allemagne —, semblant ainsi nier leur présence terrestre. Cependant il avait gardé quelques usages et coutumes juifs, ainsi voulait-il que sa femme portât le traditionnel ruban de velours qui cache une partie de la chevelure des épouses et commémorait-il les grandes fêtes religieuses — liant ainsi pour Rahel, inconsciemment, le judaïsme et la paternité abusive. Tous deux ne lui apparurent que sous leur aspect contraignant, écrasant. Peut-être même — ici, je sais que je m'aventure — la déception de son père devant la naissance d'une fille, sorte de rejet de la communauté familiale, se superposa-t-il au rejet, réel alors, des Juifs de la communauté sociale, et ne permit-il pas à Rahel de prendre son appartenance juive avec quelque légèreté — ce à quoi l'époque autorisait les gens de son milieu — et suscita-t-il « l'hémorragie » dont elle parle.

Toujours est-il que si douloureuse que lui apparût sa condition, elle ne se décida à se faire baptiser que fort tard, ses deux parents morts, et le jour même d'un mariage qui ne pouvait avoir lieu qu'à ce prix.

Ce qui me confirmerait dans cette vue est le changement qui se fit en Rahel après la mort du dictateur familial, changement dont une lettre adressée à un ami témoigne si pleinement qu'elle vaut la peine d'être transmise ici.

« Oui, je valse. Depuis cinq lundis nous avons des cours de danse. Je suis une des plus terribles et infatigables danseuses.

» A propos, aucun débardeur ne saurait être mieux portant que moi. Je ne ressens plus la moindre faiblesse. Imaginez-vous que même le défaut de mes yeux s'est atténué. Je peux lire le soir aussi longtemps qu'il me plaît. Non! Connaître une aussi merveilleuse révolution! Moi qui ne pouvais plus marcher et n'espérais plus de réapprendre, je marche à présent comme lorsque j'étais enfant et danse des heures entières.

» Voyez-vous, en réalité, c'est pour cela que je danse... pour moi, c'est comme un office religieux, une sorte d'action de grâces, peut-être même un sacrifice car il n'est pas de doute que cela m'affaiblit. Evidemment vous n'allez pas croire que l'incarnation de la négligence que je suis a décidé de faire, dès l'été venu, sa cure d'eau froide... ce qui est pourtant la vérité. C'est à cause des répétitions à l'Opéra, des concerts, des connaissances qui défilent à présent chez nous que j'ai tardé à vous écrire et que cette lettre est si pleine de choses diverses. »

Peut-on être plus clair en ignorant à quel point on est révélateur?

Tout cela dit, que Rahel souffrît de son judaïsme est indiscutable. Que ce fût là, à l'époque, le propre de tout Juif incroyant l'est tout autant. Michelet a écrit : « Etre nègre est bien moins une race qu'une véritable maladie. » Etre juif, aux yeux des non-juifs, ce n'était pas à l'époque être atteint d'une maladie, mais être atteint d'une tare originelle dont seul — et encore — pouvait les guérir le baptême.

Ces dernières années, les manifestations de l'antisémitisme ont été étudiées aussi bien que leurs causes psychologiques : besoin pour le non-juif de se sentir supérieur à certains pour se rassurer sur lui-même, besoin de rejeter ses fautes sur un autrui devenu paria, bouc émissaire ou — je pencherais vers cette hypothèse car elle expliquerait la localisation chez les « Fils du Livre » — haine du père? Si j'en avais le temps, la chose m'intéresserait et aussi le processus qui fait, par certains membres d'une communauté décriée, rejeter les siens, comme le fit par exemple Marx. Son cas, à la lumière des informations actuelles, s'est révélé particulièrement drôle : il ignorait l'existence de Juifs pauvres en Europe et en Afrique du Nord et bâtissait des théories sur cette ignorance même.

Le respect de la femme et le respect du Juif marchent d'un même pas, ce qui est normal. Que les diverses formes de la créature humaine jouissent pleinement des droits qui lui reviennent ne peut aboutir qu'au désir de lui laisser les possibilités de se réaliser sans préjuger — ou imposer — la forme de cette réalisation, il n'en reste pas moins que l'homme semble difficilement pouvoir se tenir à cette hauteur. Si les femmes aux alentours de la Révolution, eurent la possibilité de s'affirmer, très vite une période de contrainte patronnée officiellement en Angleterre par Victoria, en Allemagne par le « wilhelminisme », succéda à cette tentative de justice. Quant aux Juifs, leur statut au cours du XIXe siècle subit de multiples fluctuations pour aboutir, au XXe siècle, dans certains pays du moins, au massacre que l'on sait.

Aux yeux des hommes de culture allemande, l'image du Juif se modifiait, entre autres, sous l'influence des événements qui se déroulaient alors dans le reste du monde. En effet, après les Etats-Unis, après l'Angleterre, la République française avait accordé aux Juifs, en 1791, la citoyenneté française — d'abord aux Juifs de Provence, puis à ceux d'Alsace et à ceux du reste du pays. Cela peut-être sous l'influence de Mirabeau qui, au cours de son séjour en Prusse, avait rencontré Christian Dohm, ancien professeur des frères Humboldt, qui luttait avec conviction pour la libération des Juifs. Un peu plus tard, Herder demanda leur totale assimilation. Certes, les idées en elles-mêmes, entre autres bien entendu celles qui aboutirent à la Révolution française, eurent leur part dans cet acte de justice mais, curieusement, le rôle des individus fut en l'occurrence d'une peut-être plus grande efficacité que celui des idéologies. Plus particulièrement celui d'un petit homme, devenu contrefait vers sa dixième année à la suite d'un accident : Moses Mendelssohn, personnage alerte d'une étonnante qualité, tant par l'ampleur de son intelligence que par sa hauteur morale.

Moses Mandelssohn est né à Dassau en 1720. Il quitta sa ville natale à quatorze ans, sans un sou vaillant, pour se rendre à Berlin afin d'y rejoindre celui qui fut à l'origine de sa formation culturelle : le rabbin Frankel. Dans cette ville où il ne fut que « toléré », le petit bonhomme qu'il était gagna péniblement sa vie en exerçant le métier de copiste. Sept ans durant, il logea dans une chambre sous les toits, se nourrissant à grand-peine, profitant de ses moindres instants de loisir pour atteindre à la connaissance. Tout d'abord il lui fallut apprendre l'allemand parlé, écrit. Plus tard, il apprendra le grec. Peu à peu il approcha les écrits des philosophes, Leibniz, Wolff, devint par son propre effort un homme de culture du XVIIIe siècle européen, obtint même un prix que briguait Kant. Vers sa vingtième année — il était parvenu à la fonction de précepteur auprès de l'héritier d'un marchand de soie — il fit la connaissance de l'écrivain Lessing, fils d'un pasteur avec qui il noua une amitié d'où est né *Nathan le sage,* œuvre théâtrale où la sagesse, où la bonté sont incarnées dans un Juif. Ce fut Lessing aussi qui introduisit le jeune autodidacte dans les milieux culturels de la capitale prussienne. La collaboration de ces deux hommes — auxquels se joignit le libraire de grande culture et d'esprit libéral, Nicolaï — est à l'origine de la publication de multiples écrits, entre autres du *Phaéton,* œuvre de Mendelssohn lui-même qui le mit en rapport avec Haman, Herder, Wieland et Lavater sur un plan d'égalité. Après quoi, il fut le premier Juif accueilli par l'Académie des sciences, ce qui ne lui valut pas l'autorisation de résider à Berlin : ce droit fut arraché au roi par un Français de ses amis, J. B. d'Argens.

Tout ce temps, Mendelssohn ne cessa de lutter pour obtenir ce qu'il était possible d'obtenir d'égalité pour ses coreligionnaires. Sur un autre plan, il s'efforça de faire participer ces derniers à la culture du pays dans lequel ils vivaient et voulut qu'ils parlassent l'allemand et non plus le yddisch qui les isolait de leurs contemporains. Il inspira les créateurs de la première école allemande destinée aux enfants juifs. Le tout sans personnellement abandonner la foi de ses ancêtres et sans souhaiter que d'autres l'abandonnassent.

Si ses pairs reconnaissaient l'intelligence, la culture, la qualité humaine, la pureté des mœurs du modeste comptable devenu philosophe et écrivain, les humiliations du monde extérieur ne lui étaient pas épargnées. En 1762, il s'était marié puis avait eu six enfants. Voici le récit que lui-même fait d'une promenade accomplie avec eux :

« De temps en temps je me promène, le soir, avec ma famille.

— Papa, s'écrie ma chère innocente, qu'est-ce donc que nous crient ces gamins? Pourquoi nous jettent-ils des pierres? Que leur avons-nous fait?
— Oui, cher papa, dit l'autre, ils nous poursuivent toujours et nous insultent : Juif! Juif! Est-ce donc une si grande honte que d'être né juif?

Hélas, je baisse les yeux et je soupire en mon for intérieur "hommes, hommes, où en avez-vous laissé aller les choses! ". »

Pour préciser ce tableau des rapports de l'Allemand et du Juif, voici un petit poème d'Ephraïm Kouh qui, en Prusse, subit pareille — ou presque — avanie :

« Juif, tu dois payer un droit de trois thalers.

— Trois thalers? Tant d'argent! Pourquoi monsieur?

— Tu oses le demander! Parce que tu es juif. Serais-tu turc, païen, athée, nous ne te demanderions pas un sou. En tant que juif, nous devons te tondre.

— Voici l'argent. Mais que vous a donc enseigné votre Christ? »

Malgré difficultés et humiliations, les salons des Juifs à la fin du XVIIIe siècle et au début du XIXe furent les seuls salons en pays germanique. Vers 1870, les choses changèrent, dans une très faible mesure toutefois. Comment expliquer cette particularité pour le moins curieuse? Sans doute, est-elle due essentiellement à deux raisons, l'une réelle, l'autre mythique. Commençons par la première : quoi qu'on en dise, le Juif est naturellement dépensier, il a le goût du faste et quelque peu du « tape-à-l'œil ». Si on a pu prétendre qu'il était avare, c'est que l'atroce menace sous laquelle il vivait le contraignait à s'assurer le minimum de sécurité qui représentait la possibilité de s'enfuir ou d'acquérir sur place le droit à la survie en l'achetant à ses tortionnaires chrétiens.

Dans les maisons de riches Juifs berlinois, depuis le règne de Frédéric II, l'on vivait, semblait-il, relativement rassuré. L'idée de pogrom cessait d'être obsessionnelle. Sa réalité, croyait-on, ne pouvait prendre forme qu'en ces lieux sauvages qui s'appelaient Pologne ou Russie. Douce illusion qui amena les « bourgeois juifs » de Berlin à céder à leur goût du luxe, goût qui s'accompagnait parfois d'un « bon goût » tout court. Ainsi leurs maisons étaient-elles presque les seules, dans cette ville dédaignée par son propre roi, à posséder des œuvres d'art — tableaux et sculptures — des tapis venus d'Orient, parfois directement apportés par des coreligionnaires lointains. Car la circulation à l'intérieur du monde juif, ce monde qui impliquait — malgré l'interdit espagnol — l'ouest de l'Europe, l'Europe du Centre et de l'Est, le bassin méditerranéen septentrional, était intense, facilitant non seulement les échanges commerciaux mais aussi les échanges culturels. La connaissance des langues s'ensuivait presque naturellement, ne fût-ce que parce que la présence d'étrangers éveille la curiosité. D'autre part, les hôtesses des salons juifs faisaïent, en général, montre de peu de préjugés. Ainsi, voyait-on chez elles des acteurs, des actrices, gens réputés, à juste titre, de mœurs irrégulières. Des femmes divorcées ou quelque peu légères y trouvaient bon accueil si elles témoignaient d'intelligence, de talent qui justifiassent leur présence. A quoi il faut ajouter, ce qui est d'importance, que parmi les luxes dont ont le goût les Juifs aisés, se trouve celui de se permettre des filles cultivées.

Voilà pour la part réelle, venons-en à la part mythique. Si l'homme juif a toujours paru méprisable au chrétien, objet de répulsion, témoignage de la plus totale erreur qui se puisse commettre, la femme, elle, par je ne sais quel jeu contraire, a souvent exercé une sorte de fascination. Il n'est que d'ouvrir les livres pour s'en convaincre. Voici dans *le Marchand de Venise* la sage, la belle Jessica, Walter Scott nous montre Rebecca, demi-sainte, dans *Ivanhoé,* George Eliot, Mira Cohen dans *Daniel Deronda* et j'en passe, mais note néanmoins que lorsqu'il veut animer une prostituée vraiment belle, Balzac la choisit juive.

Quant à l'histoire, peut-être à la légende, il est des visages qui s'imposent tout de suite à moi, celui de la « Belle Dame » qu'aima le roi de Castille, celui de l'épouse du bijoutier Iost Liebmann dont tomba amoureux Frédéric Ier de Hohenzollern. Ces femmes étaient-elles aussi séduisantes qu'on veut le dire, je n'en sais rien, mais ce qui importe, c'est leur valeur légendaire dont l'impact était certain sur l'imagination chrétienne. Une des femmes de chambre de ma mère — qui n'accepta de se placer chez nous que parce qu'elle ignorait alors que nous étions juifs mais qui, plus tard, se considéra comme de notre famille — me confia que tout ce qu'elle savait de notre communauté était que ses femmes possédaient les plus belles carnations du monde.

A Berlin, une femme avant Rahel joua le rôle d'hôtesse, de « rassembleuse » culturelle dont, vers cette époque, les créateurs de langue allemande avaient tant besoin : Henriette Hertz.

Henriette, d'origine juive portugaise du côté paternel, française du côté maternel, était belle; tout le monde le reconnaissait, « une géante junonesque » disait avec quelque ironie Robert Levin, le frère de Rahel; ce qui d'ailleurs semble avoir été vrai, puisque Caroline Spitler prétendait qu' « on devait la regarder à travers une loupe rapetissante ». Henriette était accueillante, généreuse, sans doute même bonne; avec le temps elle avait acquis une vaste culture — elle possédait sept langues —, toutes choses qui ne lui avaient donné ni vivacité ni véritable intelligence.

Si c'étaient des qualités intellectuelles vraies que l'on désirait, on les trouvait dans le salon d'Henriette incarnées dans son époux, le médecin Markus Hertz, homme de grande envergure, élève de Kant, ami de Mendelssohn, membre de la société de lecture fondée en 1785. Lors de son passage à Berlin, Mirabeau se rendit chez le couple. C'est là que quelques années plus tard, Rahel rencontra Brinckman, ambassadeur suédois, puis le prince Louis-Ferdinand de Prusse, neveu de Frédéric II. Henriette fut aussi à l'origine du *Tugendbund* — Union pour la Vertu — que son époux considérait avec une ironie amusée, ce qui n'empêcha pas les Humboldt et Gentz de lui faire la cour, et même d'en être, pour le premier, sincèrement épris et cela au point de lui écrire des lettres en caractères hébreux pour mieux affirmer leur complicité.

Avant de devenir dame patronnesse, Henriette avait, dans son salon, affirmé un grand goût pour la danse. « Sa demeure, écrivit un de ses visiteurs, était une piste de danse, pleine de musique, pleine de bruit aussi, de pieds frappant le sol et d'appels rythmés. » La belle Henriette disait, paraît-il, à son époux : « Que nous importe la belle culture, elle ne nous mènera jamais jusqu'à cette joie. » Son mari lui répondait alors : « Il en est qui souffrent quand ils sont privés de la jouissance silencieuse que procure un bon livre ou de celle qui naît de la communication de découvertes accomplies dans le domaine de la nature, pour le bien de l'humanité. » Car, ne l'oublions pas, si ce temps était celui du romantisme, des épanchements du cœur, du mysticisme lyrique, il était aussi celui des premières recherches menées dans un véritable esprit scientifique.

Henriette fut veuve — son mari avait quinze ans de plus qu'elle — relativement jeune. Sa vieillesse fut d'une étonnante dignité; seule, et presque sans ressources, elle refusa un mariage qui lui eût rendu la vie facile, mais en revanche accepta quelque chose comme un poste de préceptrice. Le tout sans perdre son intérêt pour la vie.

A Vienne, les salons des deux filles du banquier Meyer, dont l'aînée Sarah échangea toute une correspondance avec Goethe, furent davantage des centres d'attraction mondains que des centres culturels. Veuve très jeune, elle épousa en secondes noces un baron livonien. Dans ce nouveau foyer elle reçut nombre de ceux qui, un peu plus tard, se rendirent chez Rahel, le mage Gualtieri, le comte Tilly entre autres, l'un et l'autre connus pour leur esprit. Sa sœur Marianne plut à ce point à Goethe — qui décidément n'était pas insensible au charme des jeunes femmes juives — que Gentz prétendit, non sans quelque hargne, qu'à Teplitz le poète n'avait d'yeux que pour elle. « La seule personne avec laquelle il aime vraiment se trouver. » Un peu plus tard, devenue veuve elle aussi, elle fut courtisée par un futur ministre de Prusse, le comte de Bernstorff. La légende veut qu'il se précipitât à Berlin dès la mort de son père qui s'opposait à son mariage avec une Juive, pour enfin s'unir à la femme aimée; arrivé sur place, on lui apprit que ce même jour, celle-ci épousait un prince de Reuss.

Quant aux filles du banquier Itzig, elles furent, l'une à Berlin, l'autre à Vienne, des hôtesses de renom. La baronne Fanny d'Arnstein fut vraiment une des gloires de Vienne.

Les débuts de la vie culturelle de Rahel datent des années 93 où une amitié typiquement de jeunesse naquit entre elle et David Veit qu'un temps elle vit tous les jours. Le jeune homme poursuivait des études qui lui permirent d'exercer la médecine, l'une des seules professions non commerçantes ouvertes aux Juifs. Ces études d'ailleurs impliquaient deux ans de philosophie, ce qui explique l'ouverture d'esprit de nombreux médecins et que les connaissances de Veit dans le domaine culturel fussent plus vastes que celles de Rahel. Il lui servit quelque peu de guide dans un univers encore embroussaillé pour elle. Très vite cependant, leurs rapports devinrent des échanges entre égaux et cela bien qu'elle continuât de déclarer qu'elle n'était qu'une ignorante — une ignorante qui, plus tard, lut et comprit Spinoza.

Parfois Veit avait tendance à jouer par trop envers elle le rôle de pédagogue. Elle lui rabattait alors le caquet. Ainsi quand il lui renvoya ses lettres après avoir corrigé les fautes de grammaire : « Mon ami, lui écrivit-elle alors, vous n'attrapez jamais le mot juste », ce en quoi elle n'avait pas tort, bien qu'en effet ses incorrections fussent fréquentes. Mais l'important de cette amitié est sans doute le côté « confession » de la part de Rahel. Dès ses premières lettres, nous la voyons penchée sur elle-même, tentant de se saisir dans ses plus secrets replis, jouant envers elle-même ce rôle, presque, de psychanalyste qu'elle jouera plus tard envers les autres. Ainsi est-ce à Veit qu'elle confia le premier de quel poids lui étaient ses origines juives. L'aveu lui fut sans doute facilité du fait que celui qui le recevait était juif tout comme elle. « Seuls les esclaves d'une même galère se comprennent », lui écrivit-elle.

Mais Veit ne fut pas seulement le confident de sa souffrance, il partagea avec elle le culte de Goethe, son « maître vénéré, son guide, son phare, son directeur de conscience ». Jeune encore, se trouvant à Teplitz pour y faire une cure, Rahel avait rencontré Goethe à Karlsbad. De cette rencontre, j'ai trouvé peu de précisions. Pourtant il semble que le grand écrivain ait gardé le souvenir de sa juvénile admiratrice, puisqu'il dit à Veit : « Cette petite Levin a beaucoup réfléchi, elle a de la sensibilité et de la raison, ce qui est rare, il faut le reconnaître. » Car Veit, en 1795, put pénétrer au cours d'un voyage pèlerinage dans le sanctuaire du « maître ». Après quoi il fit à Rahel un portrait détaillé de son hôte.

« Il est beaucoup plus grand que la normale, fort en proportion de sa taille, large d'épaules. Le front extraordinairement beau, plus beau que tous ceux que j'ai vus jusque-là : les sourcils tels absolument que sur le portrait, mais les yeux vraiment bruns plus fendus vers le bas. Il y a beaucoup d'esprit dans ces yeux mais non point ce feu dévorant dont on parle tant. Sous les yeux, il a déjà des rides et d'assez grosses poches. Dans l'ensemble, il marque vraiment ses quarante-quatre, quarante-cinq ans et, de fait, son portrait le rajeunit ou alors ce qu'on dit serait vrai : il aurait sensiblement vieilli au cours de son voyage en Italie. »

Dans le comportement du père de Rahel — non point dans ce qu'il avait de tyrannique mais dans le fait que non seulement il trouva normal que sa fille eût des rapports avec des hommes de culture mais encore qu'il fût fier de sa précocité et de ses facilités intellectuelles au point de l'exhiber, avant même sa quinzième année, à ses réceptions où, paraît-il, elle se montrait brillante — je retrouve quelque chose du comportement de ma propre famille envers moi. Peut-être s'agit-il là d'une façon d'agir propre à la bourgeoisie juive allemande : les fils y devenaient tout naturellement les successeurs, dans les affaires, du père, les filles, elles, étaient destinées à représenter les acquis culturels, preuves d'insertion dans le milieu ambiant. Gentz n'a-t-il pas affirmé que « chez les Juifs, les femmes sont cent pour cent supérieures aux hommes ». Certes, c'est là une affirmation exagérée mais il n'en est pas moins vrai qu'au début du XIXᵉ siècle, à une époque où les femmes de la noblesse et de la bourgeoisie germanique s'en tenaient à leurs trois K — enfants, église, cuisine — les femmes juives se cultivaient avec le plein accord de leur famille. N'est-ce pas là, parmi beaucoup d'autres, une des raisons qui expliquent le prodigieux développement intellectuel dont témoignèrent les Juifs de formation germanique au début de ce siècle ? Certes nous connaissons tous Einstein, Kafka, Freud, mais le pédagogue Kortschak, le « découvreur » de l'art nègre Karl Einstein, d'autres encore méritent aussi de ne pas être oubliés. Qu'on le veuille ou non, il est bon de ne pas être le fils d'une mère sotte. Goethe déjà l'avait constaté, Proust sans doute aussi. Une des causes de la relative stagnation depuis des siècles, des peuples de l'Islam dans le domaine de la création, ne serait-elle pas le fait qu'ils interdisent tout développement culturel à leurs femmes, à ces créatures qui sont pendant les années où se forme un être humain celles qui se penchent le plus constamment sur un enfant ? A la longue, toute communauté qui abrutit les femmes ne diminue-t-elle pas l'homme ?

Cela dit, « le despote » en question avait, chose rare à l'époque, des relations dans les milieux les plus divers. Aussi ne s'opposa-t-il pas au désir de Rahel quand celle-ci souhaita recevoir chez elle des personnages que d'autres pères auraient, peut-être, jugé inquiétants : intellectuels étrangers et allemands, hommes ayant une action politique, créateurs en divers domaines. Plus encore, il mit à sa disposition une pièce dans le haut de sa maison, espace qui tenait du grenier et que les familiers nommèrent « la Mansarde ».

Ce premier salon de Rahel — elle en eut deux de presque égale importance bien que différemment composés — date de ses vingt-trois ans. La France avait déjà connu la prise de la Bastille, la mort de Louis XVI, ses troupes, après avoir été vaincues, avançaient victorieusement sur le sol de l'ennemi, Valmy eut lieu en 1792, Mayence était alors assiégée. La Prusse, elle, continuait de vivre en paix mais savait que le sort du monde se jouait non loin de ses frontières. Une étonnante effervescence culturelle régnait dans la capitale de ce petit pays — le seul cependant qui, avec l'Autriche, avait une vraie importance dans ce Saint-Empire germanique destiné à mourir peu après. Une fois encore, la présence des réfugiés agit comme un ferment. A ceux qui quittaient la France, exilés plus ou moins volontaires, se joignirent des intellectuels et des artistes las de Iéna trop petitement provincial. Plus tard et pour la même raison, d'autres viendront de Weimar. Dans la « Mansarde » de la

Jaegerstrasse, ces porteurs d'expériences diverses se rejoignirent, heureux à la fois de se retrouver et de se mêler à d'autres. Récemment j'ai pu voir la reproduction d'un tableau, certes plus ou moins exacte, de ce salon : par une fenêtre, près de laquelle se tiennent les hôtes, on aperçoit un fragment du Berlin provincial d'alors, les rideaux sagement relevés des lucarnes voisines se détachent sur des façades légèrement creusées. Les femmes — elles sont deux, Rahel aimait recevoir plus d'hommes que de femmes — sont assises bien droites sur des chaises d'époque, derrière elles, cinq hommes se tiennent debout, un autre est assis. Bien que visiblement il fasse jour, les femmes sont décolletées, leurs cheveux sont ornés de rubans. L'homme assis, tient un livre ouvert en main. Sur le rebord de la fenêtre quelques pots de fleurs semblent, par la maigreur de leur végétation, témoigner qu'on se trouve en hiver. Le groupe participe à la lecture qui lui est faite. les dames sont conventionnellement fines et charmantes sans qu'on puisse savoir laquelle se trouve être Rahel — qui jamais ne fut fine. Les témoignages écrits sont en l'occurrence plus conformes à la réalité. Il reste que le tableau a un petit caractère d'intimité qui ne rappelle en rien les salons de Mme du Deffand ou celui des dames de Rambouillet. Mais cette illustration représente-t-elle le premier ou le second salon de Rahel, celui qu'elle tint, toujours à Berlin, épouse alors d'un honorable chrétien, tandis que l'Europe, sous le poids de la Restauration commençait à s'intéresser aux recherches sociales d'où est né notre temps? Les visiteurs du premier salon, eux, montraient moins cet intérêt; leur remise en question du monde portait plutôt sur la religion, sur le passé humain, sur les connaissances scientifiques, sur les utopies, sur le rêve, que sur la réalité. La plupart d'entre eux cependant accueillirent avec joie les premières nouvelles concernant la Révolution en France. « La France s'est couronnée d'une couronne bourgeoise telle qu'il n'en existait pas jusque-là », déclara Klopstock devant « la plus noble action de tous les siècles ». Fichte pour sa part s'écria : « Je pense à la France nuit et jour. » Fichte alors, qui deviendra plus tard le grand prêtre du nationalisme, souhaita la victoire de la France révolutionnaire dont il défendit les idées, Guillaume de Humboldt, le père de la linguistique, se précipita à Paris, Kant voulut que fût fondée une ligue des Etats pour garantir la paix et la dignité de tous et déclara que la base même du droit humain était la libération de l'arbitraire contraignant, Gentz, ce Gentz, futur bras droit de Metternich, qui finira comme le symbole même de la réaction, se fit le porte-parole des amis du progrès, prôna l'exemple anglais d'une monarchie constitutionnelle. A Tübingen, Schelling, Fichte, Hölderlin, Hegel, Klopstock, plantèrent un arbre de la liberté symbolique ou vrai. Sur sa lancée d'ailleurs, Fichte, après avoir non sans amertume constaté que sous peu on ne trouverait plus une seule pensée libre en Allemagne, brigua un poste de professeur de français à Strasbourg afin d'initier les jeunes

Allemands à la France, pays à l'avant-garde de l'humanité. Humboldt, malgré tous les va-et-vient de l'époque, resta un libéral. Gentz lui... Mais il faisait partie de ces charmantes canailles pour qui, toute sa vie, Rahel eut un faible et qui, après tout, constituaient l'un des attraits de son salon. « Gentz », a-t-elle écrit avec une lucidité qui ne portait pas atteinte à la tendresse qu'elle éprouvait pour lui, « Gentz est le plus merveilleux des mauvais hommes ».

Grâce au comte de Salm, introduit chez Rahel par la fille de Diderot, nous possédons une description assez vivante du « salon » de Rahel. Salm y arriva plein de curiosité tant il en avait entendu vanter l'hôtesse : « Une jeune femme indépendante, d'un esprit extraordinaire, intelligente comme le soleil, avec cela si bonne de cœur et en toute chose elle-même. » On lui avait dit : « Vous trouverez chez Rahel la société la plus spirituelle et la plus haute, mais tout se fait chez elle sans montre ni ostentation. Rien n'y est arrangé ou préparé. Le hasard, les convenances et le bon plaisir de chacun des hôtes y sont les seuls maîtres de cérémonie. Elle reçoit chez sa mère et, quoique fort à son aise, ne fait guère de frais de représentation. Il est certain qu'on ne s'y réunit pas pour le régal qu'on y trouve. Tout y est extrêmement simple mais on ne peut plus confortable. »

A quoi Brinckmann avait ajouté : « Elle comprend, elle sent tout, et ce qu'elle dit est souvent, sous une forme paradoxale et amusante, d'une vérité si frappante qu'on se le répète encore des années plus tard et qu'on ne peut s'empêcher d'y réfléchir et de s'en étonner. »

Le visiteur ne fut pas déçu. Le soir de sa première visite, les allées et venues battaient leur plein dans la *Jaegerstrasse.* Il trouva la maîtresse de maison « ni grande ni belle, mais fine et délicate de visage, avec des yeux qu'on n'aurait pas osé aborder avec une mauvaise conscience... ». Sur un canapé la belle comtesse d'Einsidel causait avec un abbé français, Auguste-Guillaume Schlegel et Louis-Robert, le frère de Rahel, parlaient poésie dans un coin lorsque la porte s'ouvrit bruyamment pour livrer passage à la charmante Unzelmann, l'idole du parterre et des loges, qui se jeta au cou de Rahel. Elle revenait de Weimar fort enthousiaste de Goethe qui, de son côté, avait été ravi de cette Marie Stuart, « la plus séduisante qu'on pût voir... ».

« Les causeurs, un moment distraits par la jeune et brillante apparition, reprirent vite le cours de leur conversation : le grand baron de Schack, mauvais sujet aux formes élégantes, sourit aux boutades du major Gualtieri, cet humoriste spirituel que Rahel gâtait tout particulièrement. Deux Espagnols, le comte Casa Valencia et le chevalier Urquijo, se sentant à l'aise dans ce milieu, écoutaient attentivement l'auteur de *Dya-Na-Sore,* Meyern, qui leur exposait ses théories patriotiques, et Frédéric Gentz, qui exhalait sa bile contre M. de Haugwitz, le tout-puissant ministre d'alors; mais voici le véritable héros du salon qui vient d'entrer :

un jeune homme de haute taille, remarquablement beau de visage, au regard de feu, un peu troublé et inquiet aujourd'hui, d'une gravité douloureuse même. Il unit à un air naturellement impérieux une grande douceur dans l'expression. Affable sans condescendance, digne sans contrainte, simple sans vulgarité, le prince Louis-Ferdinand, le héros de Mayence, se mêla un instant à la conversation politique de Gentz et exhala sa colère contre « ce Bouonaparte qui mine la liberté de son pays », puis se mit au piano pour y improviser. » Salm déclara qu'il fut conquis dès le premier moment par ce « jeu hardi et puissant, parfois attendrissant, la plupart du temps bizarre, toujours de la plus haute maîtrise ». Jamais, lui sembla-t-il, il n'avait vu homme aussi bien doué. Naître et traverser la vie ainsi fait et ainsi placé, cela vaut la peine de vivre.

Une vieille bonne circulait au milieu des grands de cette terre. Elle servit le thé, tandis que « la chère petite », c'est ainsi qu'on appelait Rahel, faisait les honneurs avec une aisance, une grâce, une bienveillance cordiale qui faisaient valoir les moins brillants. Elle animait la conversation quand elle menaçait de s'éteindre, l'arrêtait quand elle était sur le point de devenir trop libre, arrangeait les choses quand elles avaient déjà dépassé les bornes, tout en jetant avec une abondance intarissable des éclairs qui illuminaient et ouvraient des horizons nouveaux. »

Malgré — ou à cause de — l'occupation française, malgré l'absence de quelques-uns de ses plus grands esprits, Berlin n'était pas devenu une ville morte. Après la défaite, celle que l'on appelait, avec raison je crois, la « belle » reine Louise, fut l'une des premières à se ressaisir. « Nous nous sommes endormis, disait-elle, sur les lauriers de Frédéric le Grand... nous n'avons pas continué de marcher et le temps nous a dépassés. » Un immense effort fut tenté, Stein entreprit des réformes, Scharnhorst s'efforça de réorganiser l'armée en la démocratisant, Humboldt accepta la responsabilité de la toute neuve université. Cette université que Rahel, lors de sa naissance, avait saluée avec enthousiasme et quelque angoisse sur ses possibilités de durée. Nombre de ses amis y furent attachés. « La lutte des armées est achevée, proclamait Fichte, nous allons commencer la lutte des principes, des mœurs, des caractères. »

Beauté des débuts qui justifie tous les espoirs. Je regarde ces témoins d'un passé qui ressemble au mien, au nôtre. Nous nous sommes trompés, c'est là notre gloire, nous nous sommes trompés mais nous avions raison et si le chemin humain ne portait pas la marque de semblables erreurs, nous en serions encore aux grottes préhistoriques. Il me souvient — ou il me semble me souvenir — d'une anecdote sur Jaurès. Je ne sais quel député lui faisait un jour remarquer, avec quelque hargne j'imagine, qu'un temps ils avaient été dans l'amphithéâtre du Palais-Bourbon, assis proches l'un de l'autre. Et Jaurès de répondre : « Il n'y a que les bornes qui ne se déplacent pas. »

Il n'y a que les bornes qui ne se déplacent pas, pourtant il est des volte-face que l'on n'a point le droit d'accomplir, j'en suis sûre. Lesquelles? Pourquoi? Je ne le sais trop. Peut-être tout simplement, tout bêtement, celles dont on tire avantage.

Peut-être faut-il payer pour ses erreurs et ne point en tirer profit...

Aux visiteurs déjà mentionnés, au philosophe Fichte que Rahel admirait passionnément, à Tieck, l'auteur de ce *Franz Sternbald* qu'à l'époque on comparait à *Wilhelm Meister,* à Hölderlin, dont nous savons aujourd'hui qu'il fut l'un des plus importants poètes allemands, vinrent se joindre d'autres hommes de plus ou moins grande importance. Parmi eux les deux frères Schlegel qui furent de ces esprits catalyseurs dont ma génération a connu un exemple en la personne de Jean Paulhan, le Français Chamisso, auteur de *L'homme qui a perdu son ombre,* La Motte-Fouqué, fils de huguenots, père de l'*Ondine* qui inspira Giraudoux, un court moment, car il mourut jeune, Wackenroder qui écrivit *les Effusions d'un moine amateur d'art,* Novalis qui avait collaboré à l'*Athenaëum,* la revue de Schlegel.

A ces écrivains déjà reconnus venait se joindre le diplomate suédois Brinckmann, celui qui déclara avoir plus appris par Rahel que par les neuf muses. Brinckmann fut un des meilleurs « rabatteurs » du salon de Rahel. C'était un grand amateur de correspondance; le prince Louis-Ferdinand disait de lui : « Les amoureux écrivent par amour, Brinckmann aime pour pouvoir écrire. » Quand il informa Rahel que Burgsdorf souhaitait devenir de ses hôtes, elle lui répondit par une lettre que voici et qui permet d'imaginer le « ton » régnant entre les amis de la Mansarde.

Août 1785

« A propos, dites donc à Burgsdorf que je suis " sauvage ", qu'on peut parler de tout avec moi, cela afin que nous dépassions l'écœurant " faire connaissance " et que nous soyons tout de suite " à l'aise " l'un avec l'autre. »

Louis-Ferdinand, neveu du grand Frédéric, avait rencontré Rahel chez Henriette Hertz et décidé immédiatement qu'il serait de ses fidèles : la lettre adressée à son ami Brinckman par laquelle Rahel l'informe de la décision du prince est connue, peu s'en faut classique. En voici néanmoins le passage essentiel : « Savez-vous qui vient de se faire présenter chez moi? Le Prince Louis. En voilà un que je trouve foncièrement aimable. Il m'a demandé s'il pouvait revenir de temps en temps. Je le lui ai fait promettre. Ça va être pour lui une connaissance comme il n'en a point encore eu. Il entendra la vraie vérité, une vérité de la Mansarde. Jusqu'à présent il n'a connu que

Marianne Meyer, mais elle est baptisée et princesse, et Mme d'Eibenberg, cela ne veut donc rien dire. » Précisons que ces deux « dames » faisaient partie des Juives anoblies par le mariage.

De fait, dans ses rapports avec le jeune prince, Rahel se montra à la hauteur de ses projets. Ce qui ne dut pas déplaire au jeune homme qui devint un fidèle de la Mansarde, une sorte de frère spirituel de son hôtesse.

Etrange personnage, émouvant, attendrissant presque, que ce jeune prince à qui on aurait souhaité un autre destin. Quelque mauvaise fée, comme Rahel envisageait qu'il en avait été pour elle, s'était sans doute penchée sur son berceau et après avoir constaté que ses sœurs, les bonnes fées, avaient accordé à l'enfant les dons les plus rares : « Tu seras beau comme un archange, tu seras intelligent, tu seras chaleureux, tu seras musicien », se contenta d'ajouter : « Tu seras prince du sang, sans tâches précises, sans responsabilité vraie, sans fonction à laquelle tu puisses croire. Au demeurant tu mourras jeune, désespéré. »

Le prince Louis-Ferdinand, quand Rahel le connut, n'était pas sans passé : à vingt ans il s'était battu à Valmy en qualité de colonel. Pourtant il sentait l'importance des événements qui se déroulaient en France. Il alla même — ce qu'on lui reprocha — jusqu'à empêcher qu'on pillât la maison de George Forster, considéré comme un « collabo » puisqu'il avait participé à la création de l'éphémère république de Mayence, cette république où le peuple chantait : « Nous avons assez longtemps aimé, nous voulons enfin haïr. »

Mais à l'époque où nous nous trouvons, la Prusse étant hors du jeu, il ne restait plus au jeune homme qu'à occuper le plus agréablement possible ses loisirs, ce qu'il fit avec une sorte de désespoir dans lequel la présence de Rahel devint pour lui un véritable besoin : il la voulait à ses côtés quand il faisait de la musique — et même quand il jouait aux cartes. « Son amitié, a-t-on pu écrire, lui était plus douce que toute autre chose. » Ses lettres en témoignent : « Je serai cet après-midi chez vous, chère petite, pour raisonner et déraisonner avec vous pendant des heures [...]. J'ai dit à Gentz que vous étiez moralement une sage-femme, que vous accouchiez les gens sans douleur et avec une telle douceur qu'un sentiment agréable reste attaché aux idées les plus pénibles. »

Le prince se confiait absolument à son amie pour ce qui était de sa vie sentimentale, lui parlait des deux enfants illégitimes qu'il avait, de leur mère, de la tendresse qu'il leur portait à tous trois et à laquelle il souhaitait — ce qui était difficile — que ne fît pas tort la passion qu'il éprouvait envers une amie de Rahel : Pauline Wiesel. Pauline était une fort jolie personne, aux mœurs indiscutablement légères mais de cette « authenticité » que les romantiques appréciaient tant. Bon gré, mal gré, il fallait que Rahel intervînt dans la vie sentimentale des amants.

« Nous avions un jour, le prince Louis-Ferdinand et moi, des discussions au cours desquelles revenaient sans cesse certains détails qu'il n'aurait pas dû me confier; pourtant il reprochait à Pauline de m'avoir confié certaines choses qu'elle aurait dû garder pour elle. A la fin, j'ai perdu patience et je leur ai dit : " Mettez-vous bien dans la tête que tous les deux, vous me racontez tout. Comment voulez-vous que je me souvienne de ce que je dois faire semblant d'ignorer? Je me perds dans cet embrouillamini." »

Toujours honnête, elle avait dès le début de leurs rapports prévenu son nouvel ami : « Si je ne dois pas vous dire la vérité, je n'ai rien à vous dire. »

Parmi ces vérités qu'échangeaient les deux jeunes gens — mais peut-être n'était-ce qu'une taquinerie de la part de Louis-Ferdinand — se trouvait le peu d'admiration qu'il ressentait pour Goethe. Vers 1806, une rencontre eut lieu entre le « maître » et lui. Après quoi, le prince fit amende honorable : « J'ai fait la connaissance de Goethe. Dites à la " Petite " ce que je pense maintenant de lui, je suis sûr qu'à ses yeux je vaudrai 3 000 thalers de plus, entre frères. » La lettre s'achève sur des considérations peu intellectuelles : « Goethe m'a accompagné le soir à la maison et s'est assis auprès de mon lit. Nous avons bu du champagne et du punch. Vraiment, il m'a fait bonne impression. »

Rahel s'ouvrit à la vie culturelle au moment même où naissait le romantisme. A l'époque, les mouvements littéraires se succédaient en Allemagne à un rythme aussi accéléré que chez nous aujourd'hui : les dernières années avaient connu l'*Aufklärung,* le *Sturm und Drang,* le classicisme. Puis vint le romantisme, suivi par le mouvement « Jeune Allemagne ». Cette rapide succession, cette bousculade presque, de tendances littéraires laisse un peu rêveur — me laisse, moi du moins, un peu rêveuse. Peu s'en faudrait que je croie que nous nous trouvons là devant deux besoins profonds, éternels, se précisant sous l'éclairage du temps, d'approcher ce qu'avec ses moyens propres tente de cerner l'art : la vie même, sous ses diverses formes. Au fond de l'homme semblerait exister à la fois, pour émerger tour à tour, le besoin d'accepter et celui d'élucider le mystère. Voilà qui est un peu simple comme approche d'un vaste problème, je le reconnais.

Mais qu'est-ce donc au juste que ce romantisme allemand dont on parle tant aujourd'hui? Et d'abord qu'est-ce donc que le romantisme tout court? Commençons par dire que le délimiter est difficile — et que déjà la phrase qui précède m'engage au-delà de ce que je voudrais. Devrais-je écrire « ce que fut » ou « ce qu'est »? Le romantisme est-il l'apparition d'un moment que le moment suivant fait disparaître ou est-il une des constantes humaines, une des manifestations permanentes, sous une forme ou sous une autre — de la sensibilité humaine? Mais d'ailleurs est-il un mode de sensibilité ou une façon de concevoir le monde? Pour moi, il me semblerait qu'il est une façon de sentir le monde qui, selon les époques et les pays, s'efface ou s'épanouit ou encore se manifeste en certains certaines zones privilégiées. Ne parle-t-on pas de romantisme poétique en France au XVIIIe siècle? Tel ballet de cour du XIVe siècle n'a-t-il pas une couleur quelque peu romantique, son baroque n'avoisine-t-il pas le romantisme? Et ce *Cid,* venu de l'Espagne, est-il vraiment classique?

Tant d'autres questions pourraient se poser, à propos, plus précisément, du romantisme allemand, ne serait-ce que celle-ci : comment se fait-il qu'à la fin du XVIIIe siècle et au début du XIXe, le romantisme conquière aussi totalement une Allemagne à laquelle le protestantisme aurait dû donner le goût d'une certaine austérité, de la maîtrise de soi, le souci des valeurs morales? Oui, mais déjà il y avait le piétisme, son besoin de fusion avec Dieu. La Bible elle-même — livre par excellence du luthérianisme — ne révèle-t-elle pas des échappées vers un « ailleurs » inquiétant, ouvert à de multiples « possibles »? Et l'autre grande lecture des pays germaniques n'est-elle pas celle de Shakespeare, de son monde de violence, de mystères que l'homme domine mal? A quoi il faut ajouter une nature sans cesse présente avec ses forêts ne s'arrêtant qu'aux confins des villes, ses montagnes que le soleil n'éclaire que rarement et qui, du temps même de mon enfance, abritaient encore, sans que je m'en étonnasse, des génies saugrenus, de belles séductrices terrestres ou lacustres, des dragons cracheurs de feu. Et ne suffirait-il pas d'ouvrir Heine — qui se qualifiait de « dernier roi déchu du romantisme » — pour apprendre que longtemps après ce que l'on croyait une christianisation en profondeur de l'Allemagne, une Olympe locale peuplait la moindre source, le moindre fourré? Mais ne savons-nous pas aujourd'hui qu'à quelques zones citadines ou d'accès facile près, il en allait de même en France?

Après tout, ne faudrait-il pas retourner le problème et dire que l'émergence exceptionnelle est celle du classicisme? Que celui-ci est né d'un fort clivage, d'une forte séparation entre la vie de cour, ou pour le moins entre la vie citadine et la vie rurale? Qu'il a besoin d'une certaine stabilité sociale pour s'épanouir? Et voilà qui expliquerait le goût renaissant chez les jeunes d'aujourd'hui pour la littérature romantique. Voilà qui expliquerait aussi, pour l'essentiel, le côté classique de la plupart des œuvres parues au début de notre siècle, et cela jusqu'à la Première Guerre mondiale après laquelle nous voyons surgir les œuvres — *Le Soulier de satin* est-il classique? — de Claudel et — pourquoi ne le dirais-je pas — de Malraux? Ce qu'on appelle le romantisme ne s'impose-t-il pas dès que l'homme perd l'illusion qu'il domine son destin? Lorsqu'il ne peut plus considérer celui-ci comme l'expression d'une volonté divine, penser que sa vie s'organise en vue du triomphe de l'Eternel ou, au besoin, d'un maître terrestre, le romantisme s'impose peut-être à lui comme le seul moyen d'expression de son angoisse.

Voilà aussi qui rendrait plus aisé d'accepter, du moins pour la sensibilité de qui est élevé dans les valeurs françaises, la rapide succession en Allemagne des Lumières, du *Sturm und Drang*, du classicisme, du romantisme. Cinquante ans de transition qui permirent aux Allemagnes de devenir allemandes.

Le romantisme, tel le fruit de l'arbre édénique, contient en lui toutes les forces du bien et du mal, celles qui permettent les plongées dans l'inconnu et celles qui les détournent au bénéfice de telle ou telle théorie, celles qui permettront d'aller de l'avant et celles qui tireront vers l'arrière. Grâce à lui, pour commencer, le moi si vilainement exclu jusque-là — il était, paraît-il, haïssable — acquiert officiellement droit de cité, l'individu naît. Pour rattraper le temps perdu, il s'étale quelques années au premier plan. Les philosophes eux-mêmes se penchèrent sur le nouveau-né, avec attendrissement, Fichte en premier lieu. Le monde aux contours cernables cessa alors d'être essentiel pour le créateur qui n'aspira plus qu'à transmettre la façon dont il le ressentait. Le plus clair de l'art actuel se trouve là en germe, la peinture abstraite aussi bien que la peinture impressionniste, l'expressionnisme, Rimbaud, Lautréamont, tout le surréalisme. Ce n'est pas Breton qui découvrit que

« la poésie est la branche la plus noble de la magie », ni la richesse de l'écriture automatique.

Dans ce nouvel univers où la lucidité cédait la place à l'intuition, l'enfant pénétra avec la plus grande évidence, lui que le classicisme avait exclu de ses œuvres. Il fut suivi de près — ou l'intrusion eut-elle lieu au même moment? — par l'inconscient et l'un de ses médias, le rêve.

Rahel, plus subtile en cela que maints de ceux qui écrivirent à son propos, pressentit-elle l'importance de l'inconscient, du rêve, de l'enfance et des liens mystérieux qui les joignent ? Comme si elle avait eu connaissance de la psychanalyse, elle insista sur l'importance des premières années dans la formation d'un être humain. « La vie est aimable, a-t-elle écrit, envers ceux dont les débuts furent bénis. » Quant au prix qu'elle accordait aux rêves, il n'est pour s'en assurer que de voir le nombre de ceux qu'elle relate longuement dans ses lettres.

En somme, dans cette société de l'Europe centrale au début du XIXe siècle, qui pressentait à quel point nous sommes pris dans un inconnu psychologique, qui croyait à l'importance du monde nocturne, l'essentiel était prêt pour les recherches qui aboutirent à la psychanalyse. C'est sur le même terreau que naquirent et grandirent Rahel et Freud.

Soit, mais où est le fruit maudit de l'arbre romantique? Hélas, il est à portée de la main. Il est né de la « penchée » vers un passé que l'on veut grandiose afin de compenser l'humiliation présente. Ne l'oublions pas, « le romantisme est l'enfant du désespoir ». Pour se sentir grand, unique, on fera feu de tout bois, d'abord de la splendeur du Moyen Age — dont on ignore ou veut ignorer la misère physique et culturelle pour n'en retenir que la grandeur chevaleresque, plus ou moins imaginaire. *Oh alte Burschen Herrlichkeit, wohin bist Du verschwunden?* Plus loin dans le temps, on rendra vie au *De Germania* de Tacite dans lequel l'homme germain est l'image de toutes les vertus. Mais déjà Heine pensait, non sans raison, que Tacite voulait que cette image des barbares servît d'exemple provocant à ses compatriotes. Depuis, nous soupçonnons qu'il n'est pas impossible que Tacite n'ait jamais mis les pieds en Germanie, que les vertus de ses habitants étaient aussi irréelles pour lui que celles des habitants du Monomotapa pour le bon La Fontaine. Les Allemands ont peut-être inventé l'Histoire, alors ils auraient en même temps inventé l'Art. Plus grave que ce recours à un passé un peu conte de fées, fut la découverte du langage, d'abord par Herder, puis par Humboldt. Ici nous nous trouvons devant le délire interprétatif à l'état pur. Si les recherches de Humboldt, de Herder aussi, furent sérieuses et à l'origine de l'essentiel des travaux linguistiques d'un Saussure, les conclusions qu'en tirèrent des hommes à qui venait de se révéler la fragilité de leur pays sont simplement atterrantes. L'homme germanique, selon eux, serait une créature supérieure car, seul en Europe, il dispose d'une langue originelle. Les autres collectivités européennes ne feraient, elles, usage que de patois nés de langues imposées par des vainqueurs. Beaucoup tirèrent de là la conclusion que l'homme germain est ethniquement supérieur à son entourage, ce qui lui confère le droit de dominer. Prémisses plus que hasardeuses — à quelques kilomètres de Berlin vivait et vit encore toute une population slave — et, conclusion imbécile car les invasions n'ont pas toutes été germaniques. Certaines d'entre elles venaient d'une Asie lointaine. Cette théorie cependant contribua à rassurer une collectivité en désarroi à la suite d'une défaite infligée en trois coups de cuillère à pot.

Peuple originel, langue originelle, supériorité ethnique; le romantisme porte d'évidence en germe tout ce qui, cent et quelques années plus tard, permettra l'explosion d'un ignoble racisme, hanté par le désir de se justifier scientifiquement.

Oui, Léon Brunschvicg n'avait pas entièrement tort quand avant la guerre, peu après la prise de pouvoir de l'hitlérisme, il déclarait à Jankélévitch que le romantisme était réactionnaire. Mais il avait tort si on situe l'action du romantisme dans le domaine artistique. Sans lui, encore une fois, le plus clair de ce que nous aimons aujourd'hui n'aurait sans doute pas existé.

On a coutume de penser que les peuples du Midi, les peuples méditerranéens, sont excessifs dans leurs réactions. Pour moi, je pense que peu de peuples en Europe réagissent aussi violemment que les Allemands — ce que je constate sans le blâmer mais en étant bien obligée d'ajouter que cette tendance aboutit parfois, dans le domaine politique, à d'assez fâcheux résultats. Il est vrai que dans le domaine littéraire, il n'en va pas de même. Ainsi voyons-nous succéder à une sorte de culte — appauvrissant — de la raison, un déchaînement poétiquement admirable de l'irrationnel, du spontané, à une soumission sans critique au goût français, la découverte passionnée des sources germaniques, l'engouement pour les contes, les légendes populaires, une recherche frénétique de ce que nous appelons aujourd'hui « l'identité ». Le tout suscitant, après une première apparition sous la forme atténuée du *Sturm und Drang,* la floraison romantique qui atteint son zénith quand les peuples germains sont au comble de l'humiliation.

Sans doute, d'ailleurs, est-ce cette humiliation qui donna, pour les Allemands, une importance prédominante à l'histoire. La défaite ne se peut accepter qu'avec le souvenir des victoires passées et l'espoir des victoires futures. Ainsi en alla-t-il pendant presque deux millénaires pour le peuple juif. Mais que l'Allemagne ait pris conscience d'elle-même quand elle n'existait pas explique selon moi que la pensée philosophique allemande ait attaché la plus grande importance au passé — à ce passé dont on n'avait à l'époque que des aperçus incomplets, d'autant plus pittoresques.

Le particulier de Rahel fut sans doute d'avoir su maintenir l'équilibre entre le romantisme naissant puis épanoui et ce que, à défaut d'autre terme, j'appellerai son goethéisme. Jamais le goût et la compréhension qu'elle eut des œuvres d'un Maître Eckhart dans le passé, d'un Kleist ou d'un Hölderlin dans le présent, ne la firent s'éloigner du maître de Weimar, ni d'ailleurs de Schiller, qui tint une bien moins grande place dans son admiration. Quelque chose en elle résistait à la primauté de l'irrationnel, avait besoin de se raccrocher à l'expérience du réel. Comme son « maître », elle acceptait le « Démonique », « ce que la raison se refuse à résoudre », comme lui, elle se résignait à ce que l'homme fût « un être obscur qui ne sait d'où il vient ni où il va » mais pour autant, comme son maître toujours, elle ne voulait pas renoncer à la primauté de la raison.

C'est à cela sans doute qu'est due l'importance de son rôle dans une société déchirée par les tendances les plus divergentes, c'est à cela sans doute qu'elle doit d'avoir été, comme l'affirma Brandès « la plus grande femme de son époque ».

« La liberté des mœurs passe pour le signe d'esprits émancipés. La Prusse arrivée à la pourriture sans avoir passé par la maturité, se réveilla de ses folies après sa défaite. » Voici ce qu'écrivit Mirabeau qui avait séjourné à Berlin, où Rahel l'avait vu se rendant régulièrement à la poste non sans laisser une femme et un enfant l'attendre dans sa calèche, arrêtée au coin de la rue.

Il faut reconnaître que cet aperçu moralisant, émis par un homme aussi peu moral que Mirabeau, a quelque chose d'amusant. Mais, à regarder la chose de plus près, on serait porté à penser que ce qui, en l'occurrence, choquait notre homme n'était point tant — pour parler selon lui — la « licence » masculine que la liberté féminine. En ce qui concernait cette liberté, sinon acquise du moins affichée, Rahel, dans sa façon de penser, appartenait totalement à son pays et à son époque. Et tout d'abord dans le choix de ses amies qui presque toutes étaient des femmes assez peu conventionnelles. La plus aimée fut sans doute cette Pauline Wiesel, dernière maîtresse de Louis-Ferdinand, dont la biographie témoigne à la fois d'audace et d'insouciance. Mais il était à l'époque d'autres femmes libres dont la vie est plus significative, à commencer par l'une des filles de Mendelssohn qui, pendant plusieurs années, fut l'édifiante épouse du banquier David Veit et mère tout aussi édifiante de deux enfants. Tout changea quand elle rencontra, dans le salon de son amie Henriette Hertz, l'écrivain Frédéric Schlegel : ce fut une grande passion avec toutes ses conséquences, dont certaines prévisibles comme la décision de tout quitter pour vivre avec l'homme aimé, et d'autres plus imprévues — mais que l'on souhaiterait plus courantes — telle celle de l'époux abandonné décidant de se cultiver pour devenir digne d'être le père de ses enfants. Comme cet honnête homme n'était point un sot, la chose lui réussit on ne peut mieux.

Mais revenons au couple irrégulier. Malgré un divorce rapidement obtenu, Dorothée et Frédéric, pendant de longues années, ne purent s'unir officiellement. La jeune femme ne voulait pas se convertir aussi longtemps que vivait son père.

Entre-temps, la présence sur terre de celui-ci n'empêcha pas Schlegel de faire paraître *la Lucinde,* étonnant document d'amour tant sentimental que physique et dont même aujourd'hui il est difficile de trouver l'égal. Cela non point tant à cause des précisions données, qui pourtant dépassent l'usage courant, que de ce qui apparaissait comme personnel dans l'œuvre. Sans doute était-ce cette particularité qui incita Rahel à conseiller à son ami de ne point signer *la Lucinde,* livre assez mal écrit au demeurant, Schlegel ne suivit pas ce conseil, ce qui lui importait étant précisément d'assumer ses audaces dont il considérait qu'elles pouvaient aider à la libération de l'être humain.

Curieusement, celui qui défendit le plus ardemment *la Lucinde* fut le pasteur Schleiermacher; il alla jusqu'à la justifier dans les *Lettres sur la Lucinde,* qu'il ramène essentiellement au thème de l'émancipation féminine et à celui de l'horreur que doit susciter une union sans amour. « En amour, il faut qu'il y ait des essais préliminaires », affirmait-il fort judicieusement mais guère « cléricalement ».

Rahel, bien entendu, ne s'étonna pas de voir Schlegel ne pas tenir compte d'un conseil qui n'était d'ailleurs qu'une insinuation, et continua d'aimer et d'accueillir comme avant le couple scandaleux.

Une autre jeune personne fort libre dont la conduite ne lui sembla jamais blâmable fut Caroline Michaelis. Fille d'un professeur de Göttingen, celle-ci épousa d'abord le médecin Böhmer qui mourut en 1794. C'était l'époque de la présence française à Mayence : Caroline, sous l'égide de Forster et de sa femme, eut une liaison avec un officier français. Revinrent les Allemands qui n'apprécièrent pas ce comportement : Caroline fut emprisonnée tout enceinte qu'elle se trouvait. Mais auparavant elle avait connu Frédéric Schlegel qu'elle avait séduit. Guillaume Schlegel, appelé en consultation par son frère, déconseilla un lien plus durable entre eux. Plus tard, appelé à lui venir en aide, il s'éprit d'elle à son tour et autorisa son frère à l'épouser. Quelques années plus tard encore, Caroline quitta cet époux de quatre ans plus jeune qu'elle pour continuer ses jours auprès de Schelling. Si Rahel n'eut point d'amitié vraie pour Caroline, il y eut néanmoins entre elles une grande complicité d'esprit et Rahel approuva en tout point son comportement.

Plus réels furent les rapports de Rahel avec d'autres « irrégulières », la comtesse de Schlabendorf entre autres, qui portait couramment des vêtements masculins, Joséphine de Pachta qui écrivit : « Une vie sans liberté est un suicide moral. » Cette charmante créature, pour vivre avec celui qu'elle aimait, s'installa à Berlin sous un faux nom.

Mais revenons à Pauline Wiesel, la plus libre de ces femmes, celle aussi à laquelle Rahel fut liée par la plus durable affection. Pauline était mariée à un haut fonctionnaire berlinois quand elle rencontra Louis-Ferdinand. Qu'elle abandonnât l'un pour l'autre, image même de la séduction, n'étonna personne. Mais que, le prince mort, elle ne se morfondît pas dans un veuvage de la main gauche, choqua. Pour vivre selon ses goûts — à l'époque, semble-t-il, incarnés dans un Russe —, elle s'installa à Paris. Au Russe succéda quelque temps Gentz qui la ramena, endettée jusqu'au cou, à Karlsruhe. Puis, retour à Berlin. Rahel, alors mariée, l'hébergea chez elle quelque temps au grand déplaisir de son époux. Mais à tout moment Rahel fit, à cette hors-la-loi, une place privilégiée dans ses salons. « Elle croyait ce que je croyais, écrivait-elle à son propos, comprenait ce que je comprenais, nous riions, observions, admirions et méprisions en commun... Et si elle semblait insensible, ce n'était que parce que, comme moi, elle souffrait d'une trop forte identification sentimentale. » Mais Rahel ne se borna pas à ouvrir son cœur et ses bras à des femmes peu conventionnelles. Elle plaida pour les libertés, pour l'égalité des femmes, dans diverses circonstances de la vie.

Toute une série de réflexions — nombre d'entre elles sous la forme de ces aphorismes chers à l'époque — ont trait à la question. En voici quelques-uns :

« Il est dur de penser qu'en Europe, hommes et femmes forment deux nations distinctes. »

« Je reconnais à présent que les êtres humains sont si pourris qu'il leur faut faire leurs déclarations d'amour devant un prêtre et un fonctionnaire public. Ils savent à qui ils ont affaire! »

A propos du mariage : « A bas les murailles. A bas ces saletés. Que ce monstre disparaisse de notre terre et tout fleurira qui a droit de vivre. Toute une forêt. »

« Les enfants devraient n'appartenir qu'à leur mère et porter son nom et ces mères devraient être les détentrices de la fortune et de la puissance parentales. »

« Les femmes mentent. Sans doute parce que les hommes les y contraignent et parce qu'il faut être intelligent pour aimer la vérité. »

A propos de Dorothée Schlegel : « Je ne sais rien de plus terrible que de voir une femme renoncer à son indépendance au profit d'un homme, celui-ci fût-il le plus passionné des adorateurs. »

« La nature est monstrueuse du fait qu'on peut abuser d'une femme et, contre son désir et sa volonté, lui faire concevoir un être humain. Cette humiliation doit être réparée par des mesures et organisations humaines et montrer une fois encore à quel point l'enfant appartient à la femme. »

Et cet extrait d'une lettre écrite à sa sœur :

« Nous autres, femmes, avons deux fois plus besoin de renouvellement que les hommes qui, eux, ont des occupations d'une importance capitale, à leurs yeux du moins, qui flattent leur ambition, les poussent dans le monde, les mettent en rapport avec des activités stimulantes. Nous autres n'avons que de petites besognes déprimantes, des tâches morcelées qui se rapportent exclusivement au bien-être de ces messieurs. C'est une injure à la nature humaine que de dire que notre esprit est autrement fait que celui des hommes, que nous pouvons vivre en parasite de la vie d'un mari ou d'un fils.

» Il n'y a pas d'autres raisons à la frivolité de tant de femmes que le fait qu'on ne cesse de leur rebattre les oreilles des principes d'une morale surannée qui leur interdit de prendre pied dans l'existence, qui leur interdit de vivre d'une vie à elle, qui fait que leur moindre velléité pour s'affranchir de cet état de choses monstrueux est décriée comme s'il s'agissait d'une entreprise criminelle. »

Rahel, comme sans doute chacun de nous — mais elle avait le courage de l'avouer —, se faisait une très haute idée d'elle-même. « Je suis unique, écrivit-elle, tout autant que la plus grande des merveilles. » Son entourage, comme nous venons de le voir, la confirmait dans cette idée. Reste que plus d'un a été agacé par la naïve impudeur de Rahel dans l'estimation — certains diront la surestimation — de soi dont souvent font preuve ses lettres. Mais n'aurait-elle pas eu cette vue sur elle-même, comment aurait pu subsister une créature aussi handicapée, fille de bourgeois moyens mais juifs, écrasée par une dure présence paternelle, point jolie et, jusqu'à sa rencontre avec

Varnhagen, collectionnant les échecs sentimentaux, ne possédant qu'une instruction moyenne, femme enfin?

L'Allemagne alors découvrait la vie sociale, l'Europe l'individu : Rahel découvrit les deux en même temps et fit front. Ce qui lui donna des forces fut la façon dont les gens de qualité — et ici, j'entends autant les créateurs que les gens de haute classe — l'acceptèrent malgré ses handicaps.

C'est que Rahel est profondément dans la ligne de son temps, elle en est le symbole — même si elle n'en partage pas tous les goûts — et l'expression. C'est ce qui véritablement la rend unique, ce dont elle a conscience.

« Je suis persuadée que je vais bientôt me marier », avait-elle écrit à Brinckmann peu avant. Elle fut en effet tout près de se marier. Son amour tourna mal mais la phrase prophétique n'impliquait pas qu'il tournerait bien. D'ailleurs l'époque avait le goût des désastres sentimentaux. En effet, très peu de temps après cette affirmation, elle se fiança avec le baron de Finckenstein. On les avait présentés l'un à l'autre à l'opéra : leurs loges étaient voisines.

Finckenstein était beau, grand, élégant, point absolument sot, musicien et quelque peu cultivé.

Pour Rahel, il fut — un court moment — rassurant. En ce domaine, Hannah Arendt dans sa bibliographie « monoïdéique » entièrement axée sur le fait que Rahel ne cessa de souffrir d'être « une Juive échappée de Palestine » a raison : Rahel avait besoin d'être rassurée. Elle savait qu'elle n'était pas jolie — c'est là une chose qu'on vous fait rarement ignorer — elle ne possédait même pas cet éclat qui souvent compense l'irrégularité des traits, avait un air souffreteux qui correspondait à sa fragilité physique.

Tout incita Rahel à croire que Finckenstein l'aimait... et sans doute l'aima-t-il. Que dans cet amour il entrât quelque peu de vanité — Rahel commençait d'être à la mode — est possible. « On aime toujours quelqu'un pour quelque chose », confia un jour Drieu à Malraux. Il ajouta d'ailleurs : « Ce peut être pour son argent. » En l'occurrence, ce ne pouvait l'être. Mais, enfin, si on n'aime pas une femme pourquoi, même en plein romantisme, lui écrirait-on :

« Ah, tu ne sais pas, tu ne peux pas savoir à quel point je me languis de toi, tu ne peux pas savoir comment je compte chaque heure qui me sépare de notre revoir, du moment où à nouveau nous serons ensemble dans ta petite mansarde où je suis si heureux.

» ... Si seulement tu pouvais savoir à quel point ta lettre est ici ma seule joie, cette lettre que je porte toujours sur moi, que je garde dans mon lit, que je porte sur moi quand je suis levé. Mais il n'est pas nécessaire que tu voies tout cela. Ne me connais-tu pas mieux que je ne me connais moi-même? Ne sais-tu pas toujours ce qu'il en en est de mon cœur, comme tu le savais quand j'étais auprès de toi? Ne sais-tu pas que je t'aime comme ma propre âme? »

30 juillet 1797

« Vois-tu, j'ai déjà aimé de tout mon cœur plus d'un être humain, mais je n'ai jamais aimé comme je t'aime. Je ne peux te dire à quel point je me sens bien auprès de toi, ce n'est qu'auprès de toi que j'éprouve ce sentiment d'intimité qui seul peut rendre un être humain totalement heureux, peut lui faire oublier toutes les misères de notre monde. »

Mais dès août, les lettres provenant de Madlitz, la propriété familiale, témoignent d'un étrange malaise. C'est que là-bas Finckenstein vit entouré de sœurs abusivement possessives, qui voient d'un mauvais œil les fiançailles de leur frère avec une Berlinoise cultivée, sociable, point riche et juive par-dessus le marché. Sont-elles antisémites? Il n'y a guère de raison de le croire sinon que cela serait normal. Mais si elles le sont, elles doivent, comme un Gentz, comme un Marwitz, faire des cas d'espèce. Au demeurant elles ne sont pas aussi réactionnaires que certains se sont plu à l'imaginer ces filles dont l'une épousa secrètement l'architecte Gemelli et dont l'autre eut une liaison avec l'écrivain Tieck, puis fréquenta les mêmes milieux que Rahel. Ajoutons qu'elles aussi étaient des plus sociables : la présence d'un parent masculin devait rendre leur vie plus facile. Le château de Madlitz était loin d'être un lieu isolé, on y donnait des bals, des réceptions, on y jouait la comédie. Non, tout porte à croire qu'en attendant d'avoir un destin propre, elles furent simplement jalouses de leur frère, voulurent le garder pour elles, lui qui était leur lien le plus fort avec le monde extérieur et, ce qui après tout se comprend, ne souhaitaient pas avoir une belle-sœur trop en vue.

Finckenstein était faible — cela faisait partie de son charme. Au demeurant, les hommes qui aimèrent Rahel brillèrent rarement par leur force de caractère; le plus souvent ce furent des faibles dont l'un cependant, Varnhagen, montra un grand esprit de suite dans la décision qu'il prit de vivre aux côtés de Rahel.

Ledit Varnhagen eut, par la baronne Pachta, un récit détaillé de ce que furent les longues fiançailles — elles durèrent deux ans — de Finckenstein et de Rahel : « Il l'aimait et elle l'aimait, et seul s'opposait à leur union le déplaisir familial... Il confia ses ennuis et ses hésitations à Rahel et attendit d'elle une décision. Sa supériorité spirituelle sur lui était infinie, elle dominait de beaucoup le jeune comte par son caractère. Mais point n'était besoin de faire état de force, il aurait suffi de discrètes directives, de légères interventions pour modifier les décisions et les démarches de Finckenstein; elle n'avait qu'à laisser agir son sens de l'honneur pour qu'il se sentît immanquablement lié à elle. Mais que fit-elle? Dès qu'il eut révélé sa faiblesse, dès seulement qu'elle le vit hésiter, au lieu de l'encourager, de le renforcer, de lui prêter sa propre énergie, de soutenir le plus intime de son cœur, de s'assurer à nouveau de lui grâce à ses paroles irrésistibles, elle s'éloigna de lui, l'abandonna entièrement à lui-même, voulut que sa décision ne provînt que de lui seul et, afin que cette décision fût prise en toute liberté, lui demanda de se considérer comme libre de tout engagement. Le malheureux n'était pas à la hauteur d'un tel traitement : il avait de la noblesse d'âme mais il était faible. Cependant il l'aimait et aurait été heureux auprès d'elle et Rahel aussi l'aimait. Comment a-t-elle pu être si dure et ne pas venir en aide aux circonstances! »

Quant à son amie Henriette Mendelssohn, elle écrivit à Rahel : « Je ne peux me faire à l'idée que cet individu médiocre ait sur la conscience d'avoir ravagé un cœur comme le vôtre. » Voilà qui a un petit parfum de Titus et Bérénice. Mais comme on comprend que Varnhagen, loin de partager l'opinion de la baronne Pachta, approuva pleinement le comportement de Rahel.

De cet amour, Rahel sortit brisée mais non point humiliée comme certains l'ont voulu croire. Son premier refuge fut la maladie : fragile comme elle l'était, hypersensible nerveusement — elle subissait entre autres des crises d'asthme —, d'une étonnante réceptivité aux variations atmosphériques, ce recours lui était des plus aisés. Quelque peu rétablie, elle en trouva un autre : le voyage.

Que Rahel ait ressenti durement sa séparation d'avec Finckenstein, bien des choses le prouvent, ne serait-ce que la lettre écrite onze ans après leur rupture. La voici presque dans son intégralité.

« Finckenstein est venu me voir hier 20 mai 1811 (Rahel était alors fiancée avec Varnhagen). Il n'a même pas demandé comment j'allais. Il me semblait semblable à lui-même, sinon que toutes ses dispositions et opinions semblaient être devenues compactes, ce qui d'ailleurs paraissait le satisfaire. Il semblait si doux et si content comme si vraiment il était parvenu au temple de la Sagesse et du Bonheur. [...]

» Tout d'un coup il me dit : " Je souhaite vraiment que vous fassiez la connaissance de ma femme. " Je restai assise, il resta assis, le soleil brillait avec douceur. Je ne peux donc rien imaginer d'affreux qui ne se réalise. Mon âme entière était aussi pleine d'indignation, aussi agitée, aussi indignée, mon cœur aussi blessé qu'il y a douze ans; comme si rien ne s'était passé entretemps. " Ton meurtrier ", ai-je pensé et je suis restée assise. La gorge et les yeux noyés de larmes. »

Quitter Berlin était accomplir un premier pas vers la guérison et comme au fond d'elle-même se trouvait un vrai désir de vivre — jamais, se séparant sur ce point comme sur bien d'autres de ses contemporains romantiques, quelle que fut la profondeur de sa souffrance, elle n'évoqua le suicide — Rahel décida de se rendre à Paris où son frère avait séjourné l'année précédente. Sous le Consulat, la vie y était redevenue plaisante. Il n'est que de voir les lettres de Rahel. « Comme j'aime Paris! On s'en aperçoit dès qu'on le quitte. Comment fait-on pour ne pas y vivre... J'y retournerai sûrement. » Dans une autre lettre, elle écrit : « Ce qu'on perd en quittant la France, on ne le retrouve nulle part ailleurs. Nous autres Allemands n'avons pas encore une langue de la conversation qui, comme le français, a déjà coulé à travers tous les canaux de la société. »

Pour se rendre à Paris, Rahel accepta une invitation de Caroline de Humboldt qui s'y trouvait. En plus de sa servante Line, l'accompagnait la comtesse de Schlabendorf qui, vêtue en homme, se rendait au loin pour accoucher d'un enfant illégitime.

Les débuts de son séjour à Paris furent durs : elle quittait un lieu riche en parents et en amis pour quelque chose qui ressemblait à la solitude. Caroline de Humboldt qui avait tant insisté pour qu'elle vînt la rejoindre, qui lui écrivait : « Chérie, je sais, crois-moi, je sais à quel point nos natures sont différentes et semblables et je suis persuadée que jamais deux femmes ne pourront avoir un rapport plus profond que le nôtre », Caroline se montra peu empressée auprès de Rahel une fois que celle-ci eut répondu à son invitation.

« Il est presque sept heures du soir, écrit alors Rahel à sa sœur Rose, je suis très seule, je ne compte pas Line en train de repriser des bas. Il pleut. Mon état d'âme se laisse sans doute — que dis-je sûrement — moins décrire encore qu'à l'accoutumée. »

Là-dessus vient, comme de juste, une longue et triste description de cet état d'âme, plus des considérations pessimistes, suivies d'autres, un peu moins pessimistes — un peu seulement — plus encourageantes en tout cas, quant au mariage qui très prochainement unira sa sœur Rose à un jeune commerçant juif hollandais.

Quelques mois plus tard, en mai 1802, elle écrira, toujours de Paris, à cette même sœur mariée en son absence : « Une dame tout ce qu'il y a de plus française, une amie de la comtesse, est assise auprès de moi et lit. Tout à l'heure j'ai écrit à Markus (son frère) et alors Bokelmann, était ici. C'est un jeune Hambourgeois, joli, cultivé et aimant la culture. Il va partir prochainement pour Cadix voir sa sœur.

Il y avait aussi Bartholdy et Gropius. Bref, les gens se succèdent ici comme ils le faisaient chez moi. »

Et encore : « On rencontre à Paris le reste de l'univers à l'état concentré. »

Voilà qui a un petit ton triomphant. Ajoutons ceci, très évidemment une réponse à l'accusation d'antisémitisme portée contre les Français : « Les choses, paraît-il, vont si mal que ça, ici, pour les Juifs? S'il en était ainsi, ce serait leur faute. Car je t'assure que je dis à tout le monde que j'en suis une; eh bien le même accueil! Mais seul un Juif berlinois peut avoir ce mépris carabiné et ce style de vie chevillé au corps. [...]

» Je t'assure qu'à Paris cela donne une sorte de contenance que d'être Berlinois et Juif; du moins en va-t-il ainsi pour moi. Je pourrais te raconter des tas d'anecdotes à ce propos. Au revoir, portez-vous bien. La dame ne peut pas rester éternellement à lire. »

Voilà qui me fait penser à une phrase écrite par une autre Juive, plus de cent cinquante ans après la mort de celle-ci : Golda Meïr, parlant des Etats-Unis de sa jeunesse où elle se rendit après son départ de Pologne, déclara : « C'est là que j'ai appris qu'on pouvait être juif et ne pas avoir peur. »

Pour en revenir à Rahel, qui donc a suscité dans son âme déchirée un tel revirement? Eh bien, comme il se doit, la présence auprès d'elle d'un jeune homme, de ce Bokelmann dont elle vient de parler à sa sœur. Il a une vingtaine d'années, il n'est point sot, il est si beau que les Français l'appellent le beau Kelmann, et il aime Rahel d'une tendresse admirative qui ne demanderait qu'à se changer en amour. Mais Rahel n'est pas prête à aimer de nouveau, sa défaite est trop proche. Alors ils jouent tous deux à l'amitié amoureuse, se voient, échangent des lettres, dont quelques-unes charmantes, d'une légèreté de ton qui n'est point l'habituel de l'époque.

« Au milieu de la *Verwirrung* du départ — je préfère embarras (en français) qu'expriment *Gelegenheit* et *Verwirrung* — des bagages, des factures, des linons, des chapeaux, du linge, du martèlement et du désespoir, je m'assois à côté de vous!

Pour me consoler! Pour me remonter! Pour me reposer! Car tous mes membres me font mal. Et voilà que tout à l'heure, au dernier moment, il faut encore que j'aille voir les augustins — *die französischen Denkmäler.* Avant-hier, c'était Versailles! Dieu du ciel! *Wie war ich da!* [...]

» Le plus céleste été, tout fleuri. Avec vous, j'avais vu la plupart de ces endroits. Le Bain d'Apollon. Tout! Toute la journée, je suis restée aux côtés de la petite-fille des Humboldt. Car la comtesse me semblait tout simplement intolérable, avec son quelque peu de « ci-devant [1] » et ses criailleries qu'elle prend pour de la politique. Je marchais, je marchais et réfléchissais et réfléchissais. Et tous ces verts différents et le soleil avec son rayonnement, tout cela m'aidait réellement. Oh, que je suis triste, mais j'ai raison et suis seulement trop fatiguée et trop détruite pour le dire. Dites-moi, cher Bokelmann, que j'ai raison et que c'est vrai, que c'est terrible de rester si longtemps sans nous voir! Et n'avoir qu'un « maigre » espoir pour cet hiver — tant de choses peuvent se passer entre-temps — que cela change.

» Vous savez que je veux que tout me soit donné en cadeau... pour que ça me « flatte ». Et pas d'aumône, rien de ce genre, ni du genre réparation ou similaire ne « flatte » quelqu'un d'assez intelligent pour avoir conservé sa simplicité. »

Mais la page est tournée, ayant repris goût aux choses, Rahel, après un crochet à Amsterdam pour voir sa sœur Rose, retournera à Berlin.

1. En français dans le texte.

La vie, là-bas, reprendra comme devant. Et d'abord la vie de société. L'importance que les échanges humains eurent pour Rahel lui a toujours été très claire. A maintes reprises, elle s'est exprimée sur ce sujet.

« Qu'y a-t-il de plus intéressant qu'un être humain nouveau? », écrit-elle. Et au cours d'un voyage à Breslau : « Comme je vais devenir intelligente! De rester entre mes quatre murs m'a rendue bête comme un ruminant! »

Un peu plus tard : « Il me faut le tamis de la société, autrement tout ce que j'avale m'étrangle et m'étouffe. »

Et aussi : « Seules les âmes opaques prospèrent dans la solitude. » Puis cette phrase, avec laquelle je suis entièrement d'accord (mais au fond qui me demande mon opinion? Tant pis, je la donne) : « J'aime mieux passer mon temps avec des hommes qu'avec des livres. » Plus tard, elle constatera qu'elle « a fait du talent de vivre sa principale étude ».

Mais en tout cela, elle est dans la ligne de son époque pour qui le commerce entre êtres humains est une des bases de la culture : Schleiermacher considère que le contact humain est une des formes de la piété.

Dans la Mansarde, « c'est là que j'ai aimé, vécu, souffert, que je me suis éveillée. Là que j'ai appris à lire Goethe, que j'ai grandi en sa présence et lui ai voué un culte », dans la Mansarde, les amis reviendront comme naguère. De nouveaux candidats se feront présenter, parmi eux Gentz, intime du prince Louis-Ferdinand, ce qui était une bonne introduction, mais n'était pas indispensable : l'homme ne passait guère inaperçu.

Gentz a été l'homme de toutes les... j'allais écrire « trahisons », non, mettons plus gentiment, de toutes les adaptations. Aller à contre-courant de son époque lui paraissait absurde, inefficace et par-dessus le marché de peu de rapport. Or il avait de grands besoins qu'il aimait satisfaire. Fort intelligent, il se trouvait le plus souvent des justifications. Quand il n'en trouvait pas, il s'acceptait avec un cynisme que Rahel qualifiait d'honnêteté. Précisons que cette honnêteté jouait surtout à sens unique, c'est-à-dire envers lui-même.

Comme presque tous les intellectuels de l'époque — il était né sept ans avant Rahel — il accueillit la Révolution avec enthousiasme : « Il est vraiment temps que l'humanité se réveille de son long sommeil. » Disciple de Kant, il écrivit un essai sur *Les fondements des Principes supérieurs du droit* dont Schiller déclara que son auteur possédait « la tête la plus pensante de Berlin ». La prise de pouvoir des Girondins, déjà, le refroidit. Il reprocha à la Révolution française d'abuser de ses pouvoirs, tout comme les régimes précédents. Là-dessus il se toqua des écrits de Burke, anglais, grand bourgeois et libéral, ce qui lui permit d'accepter sans scrupules — mais encore une fois les scrupules n'étaient pas son fort — quelque argent anglais, autrichien et prussien. Henriette

Hertz, qui parfois avait la dent dure, constata qu'une pension autrichienne avait accompli deux miracles : la diminution des difficultés financières de Gentz et la disparition de sa liberté de penser. Puis notre homme rencontra à Dresde Metternich qui sut l'apprécier. Mais les choses n'en étaient pas encore là quand une amitié proprement d'époque s'instaura entre lui et Rahel. Pour lui elle avait toutes les indulgences, des indulgences nées d'une certaine façon — peut-être juste — de le comprendre. « C'est un homme de l'instant, disait-elle, son absence de caractère est due au côté enfantin de sa nature. »

L'amitié de Gentz pour Rahel s'exprima en 1803 curieusement dans deux ou trois lettres de Gentz dont nous ne possédons pas les réponses.

« Ange céleste! Existe-t-il sur terre une langue dans laquelle on puisse vous écrire. Une réponse à des lettres telles que les vôtres peut-elle exister? Avez-vous donc décidé de me rendre fou?... Combien de fois n'ai-je pas dit que vous êtes la première créature de ce monde. Où en trouver une autre qui sache, comme vous, aimer, penser, se déchaîner, écrire? [...]

» C'est vous seulement qui avez fait de moi un enfant. Avez-vous oublié quel adulte j'étais... Vous m'avez insufflé la vie.

» Savez-vous, chère, pourquoi notre rapport est devenu si intense, si parfait? Je veux vous le dire : vous êtes une créature infiniment productive, je suis une créature infiniment réceptive. Vous êtes un grand homme, je suis la première des femmes qui ait jamais vécu. Je le sais, si j'avais physiquement été une femme, j'aurais eu le monde à mes pieds.

» Ce qu'à nous deux nous savons, nous pressentons, aucun mortel ne le soupçonne.

» Aujourd'hui je me reproche amèrement de ne pas avoir plus violemment insisté pour jouir de ce que vous avez appelé " le petit peu ". Rien d'aussi neuf, d'aussi extraordinaire que le rapport physique entre deux êtres humains chez qui le domaine intérieur est inversé, n'a sans doute existé. Cela aussi il faut que je l'aie. Promettez-moi que cela aura lieu à notre prochaine rencontre. Si vous vous y engagez par serment et par écrit, je vous promets de ne plus jamais me remarier. »

Mais avant d'aller plus loin, je veux encore donner ici un autre fragment de lettre de Gentz, qui permet d'imaginer la façon dont les contemporains ressentaient les missives de la jeune femme, si caractéristiques d'une certaine forme de sensibilité.

« Ne soyez pas faible par pure faiblesse... Sous ce dégoût, j'entends toutes sortes de nobles dégoûts [...]. Dans un recoin de mon tendre, profond et aussi de mon violent et surtout doux amour [...]. Est-ce que des êtres humains écrivent ainsi! Non! Mais non plus les dieux. Ce sont les intermédiaires entre les dieux et les hommes, les grands et enfantins génies, les nobles enfants, les âmes dans lesquelles se reflète au même moment le monde en son entier, dans sa noblesse et sa profondeur. Les petites Rahel écrivent ainsi. »

Nous ne possédons pas la réponse de Rahel. Peut-être fut-elle orale. Quoiqu'il en soit, elle fut négative : un autre occupait alors le cœur de Rahel. Cet autre, comme Finckenstein, sut la rendre romantiquement malheureuse — ce que sans doute Gentz eût fait aussi. Mais à l'époque déjà, Gentz était une vedette, or je crois que Rahel, pas plus que moi (allons-y de notre exhibitionnisme) n'était faite pour être la compagne d'une homme arrivé. Oui, Gentz, elle le savait, était un « fort ». Ceux dont elle s'éprit, tout différents qu'ils furent, avaient en commun de ne point l'être mais bien des « fluctuants », appelant et rejetant à la fois la domination féminine. Et si Varnhagen parvint à susciter en elle sinon l'amour romantique du moins un amour tendresse, c'est en grande partie à cause de son évidente faiblesse. Toute fragile qu'elle était physiquement, « sensitive » comme elle le disait, ressentant douloureusement le moindre changement de temps, Rahel était une « forte » qui surmonta la pesée paternelle, le handicap d'être une Juive et celui qui, bien que relativement affaibli à son époque n'en existait pas moins, d'être une femme.

La seconde grande passion de Rahel n'est guère plus explicable que la première ou, au contraire, l'est tout autant. Elle-même, des années plus tard, quand Gentz lui reprocha son erreur ne put que lui répliquer — avec un égal manque de ménagement — que la Unzelmann, actrice objet de l'amour du diplomate au moment même où elle succombait à l'attraction de l'Espagnol, ne témoignait pas d'un choix meilleur que le sien. Oui, mais... Un homme en ce domaine n'est pas soumis aux mêmes exigences qu'une femme. Il a le droit, lui, d'aimer simplement la créature dont le corps lui plaît, dont la voix éveille quelque chose en lui, dont les gestes lui conviennent. Urquijo suscita le désir en Rahel : il était beau, véritablement beau et non point seulement plaisant comme l'était Finckelstein. Brun, des yeux qui eussent pu être ceux de Carmen, des traits réguliers, une grâce exotique aux yeux d'une Berlinoise et, au début de leur liaison du moins, le degré de brutalité qui convenait. Aussi la résistance de Rahel semble-t-elle n'avoir duré qu'un temps raisonnable. Puisqu'elle avait eu tort d'être lâche avec Finckelstein, elle fut « courageuse » avec Urquijo. En quoi elle eut tort une nouvelle fois. Mais elle, qui vivait entourée de femmes dans des situations plus ou moins irrégulières, comment aurait-elle pu penser qu'aux yeux de certains hommes il est des gestes qui vous ôtent toute valeur. Urquijo, en l'occurrence, témoigna d'un classicisme certain : la victoire remportée ne devint pas pour lui témoignage d'amour mais preuve de la faiblesse de la femme aimée : s'il avait triomphé, tout autre à sa place n'aurait-il pas triomphé, triomphera peut-être demain? Il avait voulu être vainqueur mais sa victoire le transforformait — oh subtilité de la dialectique! — en futur vaincu. Ce qu'il fallait à tout prix éviter. Les lettres sont là — celles du moins de Rahel — qui le montrent se débattant contre la plus conventionnelle jalousie de vanité. La jeune Berlinoise réagit maladroitement devant ce qu'elle ne comprend pas. Elle a prouvé à l'homme aimé qu'elle l'aimait, que veut-il de plus? Elle s'exprime comme elle peut dans une langue qu'elle ne domine pas entièrement, car ils n'ont en commun que le français. L'allemand, celui de l'époque, se serait mieux prêté à ces cris de passion, à cette incompréhension de l'autre que le français, même teinté de romantisme : Urquijo le comprend mal et ne le parle guère. Alors ils se débattent sur des rails parallèles; tout y passe : le machisme, la sottise amoureuse, la révolte, la soumission, le désespoir et la brutalité — la grossièreté même — de Urquijo. Ne va-t-il pas jusqu'à lui dire : « Après tout, Finckelstein déjà t'a maltraitée, tu as l'habitude. » Leur rapport s'achèvera, ou presque, sur la plus conventionnelle des phrases : « Je t'aime mais je ne te respecte pas », suivie de près par une autre phrase plus horrible encore : « Je te respecte mais je ne t'aime pas. » Avec le recul, ce guignol respectant ou ne respectant pas la créature exceptionnelle qu'est Rahel apparaît sous un jour lamentable.

L'Amour serait-il si facile aux humains qu'ils se sont, pour lui donner quelque attrait, efforcés des siècles durant d'entourer ce sentiment de toutes les barrières qu'ils pouvaient inventer? Parmi elles, l'événement jouant le rôle de précédent inquiétant se révèle des plus efficaces. Il prend des formes variées; ainsi en va-t-il dans *Othello* où le Maure de Venise, parlant de Desdémone, s'écrie : « Elle me trompera, elle a trompé son père. » Ce qui m'a toujours paru le comble de l'imbécillité.

Mais avant d'en venir à la séparation, ils connurent des moments heureux, elle surtout. « Ton billet est trop divin. *Es heilte mir die Seele aus* (*ausheilen* veut dire guérir entièrement)... Amant adoré, comme je t'aime! comme tu sais ouvrir mon cœur, en faire sortir l'amour, le faire augmenter, naître et toujours naître de nouveau! Adieu. Sois heureux, tranquille : tu es aimé au-delà de tout. Encourage-moi comme hier, comme aujourd'hui et tu verras. Je ne crois plus aux soupçons. Adieu, ange. » Le tout, à l'exception de quelques mots, en français.

Cependant, dès le début de leur liaison, elle douta de la durée de leur amour.« Nous nous quitterons, vous retournerez en Espagne, je deviendrai ce que je pourrai — mais j'aurais aimé, j'aurais été heureuse.

» J'ai aussi dormi : je savais que vous dormiriez — et le bonheur de vous savoir aimant agissait sur moi comme la bénédiction la plus sainte, la plus efficace. Elle m'apportait le sommeil du ciel. Il n'y a pas là d'exagération! J'ai rêvé, j'ai vu deux pigeons blancs — j'ai honte de le dire — passer sur ma tête. »

Peut-on être plus purement romantique? Mais Urquijo ne se sentait pas entièrement libre, il s'était quelque peu engagé envers une jeune Espagnole et c'est Rahel elle-même qui le poussera à la revoir, pour décider en toute honnêteté du comportement qu'il lui faut adopter. La décision s'imposa : quand il se trouva devant la jeune personne en question, celle-ci ne lui cacha point qu'elle était fiancée avec un autre.

Il ne restait donc plus entre Rahel et Urquijo que des obstacles intérieurs, infranchissables bien qu'ils n'en eussent pas encore pleinement conscience. Et tout d'abord sa supériorité à elle, qu'elle s'efforçait pourtant de minimiser. Lui faire des scènes de jalousie, l'accuser de tromperie, de dissimulation, était, pour Urquijo, une façon d'affirmer sa supériorité de créature masculine : peut-être Rahel était-elle plus cultivée, plus intelligente que lui, mais lui avait l'expérience de la vie, ce qui lui donnait des droits sur elle, entre autres celui de l'humilier, de lui faire les reproches les plus injustifiés — elle avait, lui affirma-t-il, trop d'esprit pour l'aimer —, de se déchaîner en accusations absurdes, de l'acculer, elle, née pour la vie sociale, à la solitude. Tout cela elle le supporta, croyant — ou sachant — que lui aussi l'aimait. La plus grande gloire d'une héroïne romantique n'était-elle pas d'aimer jusqu'au délire. Les modèles ne manquaient pas, il n'était que de se pencher sur la littérature de l'époque, de regarder vivre ses contemporains.

Mais dans le cas de Rahel-Urquijo existait un obstacle presque insurmontable : la qualité même de Rahel. Qu'elle le dépassât de cent coudées dans le domaine de l'intelligence, de la culture, de la sociabilité et même de la sensibilité, comment ne s'en serait-il pas rendu compte. Au début, il dut être flatté du halo entourant cette femme qui l'aimait. Puis il en fut irrité. Semblable en cela à l'époux de Grisélidis, il voulut sans cesse de nouvelles preuves d'amour. Elle les lui donna puisqu'elle quitta son entourage berlinois. Qu'elle vécût dans la solitude le rassurait sans doute mais ne lui suffisait pas. Que voulait-il d'autre? Peut-être qu'elle se tuât? Mais elle n'était pas tout à fait assez romantique pour ce geste. Sur ce, ils se séparèrent, elle, désespérée; longtemps, toute sa vie peut-être, elle gardera le goût de ce corps masculin, né dans un pays où quelques-uns de ses ancêtres avaient peut-être séjourné. Plusieurs de ses amis dirent que les lettres passionnées de Rahel égalaient celles de Julie de Lespinasse; ce qui est vrai. Il y a d'ailleurs entre les destins de ces deux femmes beaucoup de similitude; celui de Rahel s'acheva cependant plus heureusement que celui de la Française, ce que la plupart des biographes de la première ne veulent pas admettre : une personnalité forte ne devrait pas avoir droit au bonheur, du moins quand elle est féminine.

La rupture avec Urquijo fit durement souffrir Rahel. Elle ne le dissimula pas. Varnhagen qui la rencontra au printemps de 1803, écrit à propos de la jeune femme qu'il n'était alors question que d'une passion, surpassant en grandeur tragique tout ce que les poètes avaient imaginé de plus beau. Voilà en tout cas qui indique que, loin d'être méprisée pour son échec sentimental, Rahel jouissait aux yeux de son entourage d'un prestige auréolé par la souffrance. Vers la même époque, se situent d'ailleurs les lettres de Gentz qui, si elles ne sont pas absolument celles d'un amoureux du modèle courant, révèlent que l'admiration qu'il portait n'était pas exempte de désir.

Voilà qui prouve que, même après son second échec amoureux, Rahel n'avait rien d'une épave à l'abandon, que sa triste aventure ne l'avait pas isolée de la société. Elle vivait entourée d'amis parmi lesquels le plus chaleureux continua d'être le prince Louis-Ferdinand qui, dans son zèle, alla jusqu'à introduire chez elle son beau-frère, le prince Radziwill, mari de sa sœur. Il n'en reste pas moins qu'à partir de 1806 et jusque dans la détresse qu'elle connut alors, Rahel exprima son époque. Mais cela parce que les événements extérieurs commençaient à se répercuter sur une Prusse hésitante et qui ne comprenait guère ce qui se déroulait dans le monde. Prudente, elle restait neutre, profitant même des désordres et des remises en question pour s'accroître de quelques territoires. Mais en 1806 la curieuse idée lui vint d'annexer le Hanovre ce que la France prit mal. Après onze années de paix, la guerre éclata. La Prusse, héritière de Frédéric II — le souverain qui disposait de la plus belle armée d'Europe — fut de façon expéditive vaincue à Iéna. Le fait, qu'on le voulût ou non, ne pouvait se nier, aucune mythologie poétique ne pouvait le transformer, l'Allemagne des philosophes, des poètes et des rêveurs devait s'accommoder du réel. Rahel tout comme les autres, plus que les autres, car au même moment elle découvrit sa pauvreté et... qu'elle était toujours juive.

Sa mère, dont l'aide financière l'aidait à vivre, tomba gravement malade l'année suivante : Rahel, dont elle s'était séparée plutôt en mauvais termes, l'incitant à habiter ailleurs que chez elle, se montra la meilleure des filles : pas un jour ne passa sans qu'elle se rendît à son chevet. Son train de vie, auparavant déjà diminué par la guerre, se réduisit encore quand sa mère mourut sans avoir fait de testament, ce qui dans les familles juives qui constituent une unité en principe indestructible, est assez courant. Dès lors, elle dépendit de ses frères qui dans l'ensemble firent ce qu'ils purent — parfois moins — mais les circonstances ne leur permettaient guère la générosité. Rahel se plaint alors d'une solitude nouvelle pour elle : les fantaisies guerrières masculines ont des répercussions que n'imaginent guère ceux qui ne les ont pas connues.

« Est-il possible d'avoir essuyé plus d'affronts que je n'en ai essuyé, d'avoir savouré plus de douleurs que je n'en ai savouré, est-il possible d'avoir plus de malchance en toutes choses, dans les grandes comme dans les petites? peut-on trouver une jeunesse plus opprimée que ne le fut la mienne jusqu'à dix-huit ans? Peut-on être plus malade, plus acculée au complet désespoir qu'il ne m'arrive par moments de l'être? Et je crois m'y connaître aussi en fait de chagrins d'amour! Mais quand m'avez-vous vue me détourner du monde? Quand me suis-je fermée à un intérêt humain sous quelque forme qu'il se soit offert à moi : douleur à consoler, jouissance d'art ou esprit de conversation. »

Profession de foi qui, si elle ne fut pas émise au pire moment de détresse, témoigne néanmoins d'une force de caractère qui s'allie mal à la résignation attristée dont certains veulent que Rahel fît montre après sa seconde rupture amoureuse. D'ailleurs le témoignage de Varnhagen est là qui prouve qu'à cette époque aucun salon ne lui fut fermé et qu'elle-même continua de voir — jusqu'à la déclaration de guerre — ses anciens amis se réunir chez elle.

Ainsi est-ce le 13 août 1804 — année de sa rupture avec Urquijo — que Rahel rencontra Germaine de Staël et cela à la demande précise de cette dernière. Repliée à Berlin, après un court séjour à Weimar où elle avait terrifié de ses questions — que pensez-vous de la poésie? de l'âme, de Dieu? — Schiller, Goethe et quelques autres, Germaine venait de trouver un lieu de repli — si l'on peut dire! — chez la duchesse de Courlande, grande dame sans apprêt, accueillante aux artistes, dépourvue de préjugés de caste. C'est dans ce Berlin qu'elle trouvait « une ville prosaïque, moderne et francisée », qu'un beau soir, l'illustre exilée demanda à Fichte de lui expliquer en quinze minutes l'ensemble de son système philosophique.

Les éloges qu'elle entendait faire de l'hôtesse de la *Baerenstrasse* la laissaient incrédule : eh quoi, il existait en ce lieu provincial une femme de cette qualité et elle l'aurait ignorée? Qu'on lui montre ce phénomène. On le lui montra et de la rencontre, nous avons par Brinckmann un compte rendu pittoresque, sans doute assez conforme, de la scène qui se déroula après l'entretien qu'eurent les deux femmes.

« Madame de Staël vint à moi, l'air des plus sérieux et me dit : "Je fais amende honorable : vous n'avez rien exagéré, elle est étonnante. Je ne saurais que répéter ce que j'ai dit mille fois : l'Allemagne est une mine de génies dont on ignore les richesses. Vous êtes bien heureux d'avoir une telle amie. »

Sur quoi elle fit signe à Rahel d'approcher :

« Ecoutez, mademoiselle! Vous avez ici un ami qui vous apprécie à votre juste valeur. Si je restais ici, je crois que je deviendrais jalouse de votre supériorité.

— Vous, madame, fit Rahel en souriant. Oh non, je vous aimerais tant et cela me rendrait si heureuse que vous ne deviendriez jalouse que de mon bonheur, car qui pourrait jamais vous en inspirer un semblable. »

Joli badinage mondain que ne sous-tendait aucune réalité : à peu de choses près, Rahel haïssait déjà la Staël. Plus tard, elle lui reprocha ses jugements émis trop rapidement, en ignorance de cause : « De quelle façon ces gens-là voyagent-ils... La pauvre! Elle n'a rien vu, rien entendu, rien compris. » Elle lui reprocha aussi de ne pas savoir regarder, de faire caracoler « comme un escadron, trois idées nouvelles à travers les plus vieilles cultures européennes. »

L'enthousiasme, au début de la guerre, ne fit point défaut. Les parades succédèrent aux parades. La belle reine Louise — dont la statue placée à Magdebourg presque en face de la maison de mes grands-parents a charmé mes vacances — vit défiler devant elle une armée merveilleusement équipée prête au combat et à la victoire.

Selon le témoignage de Gentz, le 10 octobre, tout semblait fin prêt : « J'avoue qu'en voyant ces troupes aussi belles, aussi fraîches que si elles sortaient pour la première fois de leurs quartiers, les officiers pleins d'enthousiasme, les hommes d'une tenue superbe, les chevaux de la plus grande beauté, malgré tout ce que je savais et qui me faisait trembler, je me suis laissé aller un instant au charme trompeur de l'espérance, mais ce fut la dernière fois que ce sentiment entra dans mon cœur. »

Ce fut le 11 octobre que le prince Louis-Ferdinand trouva la mort. Peu auparavant, il avait déclaré à Rahel : « Je ne survivrai pas à la défaite de mon pays. Si nous avons ce malheur, je mourrai. » Dans une des dernières lettres adressées à son amie — la dernière, semble-t-il — il avait précisé : « Nous (il s'agit du général Blucher et du général von Ruchel) sommes engagés sur notre parole, une parole d'honneur virile (!), une parole que nous tiendrons, de mettre notre vie en jeu, de ne pas survivre à ce combat qui nous donnera gloire et honneur ou étouffera, anéantira pour longtemps toute idée d'indépendance et de liberté. Et nous agirons comme nous nous y sommes engagés. Qu'est-ce que cette misérable vie? Néant pour néant. Tout ce qui est beau, tout ce qui atteint la perfection disparaît de cette terre. Une tragique expérience arrache impitoyablement toutes les belles espérances de notre cœur... Seule subsiste la médiocrité, qui triomphe. De quoi sert de se plaindre si nous subissons en petit le malheur de notre siècle? »

Pour le prince, l'angoisse suscitée par le destin de sa patrie s'aggravait de l'ambiguïté de sa situation sentimentale. La mort à certains moments lui paraissait presque la seule issue. De ce tourment aussi il se confiait à Rahel :

« Chère petite, je vous envoie deux lettres adressées l'une à Iette, l'autre à Pauline, écrites dans la peur et la souffrance. Vous y trouverez tout, tel que c'est dans mon cœur, ma passion pour Pauline, mon profond attachement à Iette. Fermez les deux lettres et envoyez-les. Aussi vrai que je ne peux vivre sans Pauline, la seule idée d'une Iette et des deux enfants abandonnés — ils seraient pour Pauline et moi un éternel reproche — me paraît insupportable. Pourquoi, malheureux, ne suis-je pas mort? »

La mort du prince, qui ne tarda pas, fut

conforme à l'engagement pris. Il fut tué dans une rencontre d'avant-garde avant même que s'engageât la bataille qui aboutit à la défaite écrasante des siens. Peut-être, sans doute, la pressentait-il quand, entouré d'ennemis, il refusa de se rendre et accueillit la mort.

L'effet de cette mort fut considérable des deux côtés. « Voilà qui va faire sensation dans l'armée », aurait dit Lannes en l'apprenant. Quant à la réaction prussienne, ici aussi, nous avons le témoignage de Gentz.

« Nous sommes entrés dans Weimar à onze heures et j'ai été frappé de surprise et d'épouvante par le spectacle qui alors s'est offert à mes yeux. Une pagaille comme ne n'en avais encore jamais vu : rues bourrées de troupes, de chevaux, de chariots. Et au milieu de tout cela, des officiers de diverses armes, des généraux, des hommes de la suite du roi que je ne m'attendais pas à trouver en ce lieu. La voiture s'arrête et voici que se précipite vers moi le conseiller Lombard qui, tremblant, décomposé, me demande si son frère n'est pas dans ma voiture puis ajoute : « Vous savez ce qui vient de se passer? Nous venons de perdre une bataille, le prince Louis a été tué. » Trois jours plus tard ce n'était plus une bataille — même sous la forme symbolique d'un prince — qui était perdue mais la guerre elle-même : la route de Berlin était ouverte aux armées napoléoniennes, héritières, mais héritières infidèles, de la Révolution. La ville fut occupée le 27 octobre 1806.

La paix signée, Berlin ne redevint pas pour autant le Berlin d'avant la guerre. Les salons aux brillantes hôtesses cédèrent devant des groupements masculins, souvent bassement antisémites. Puisqu'on était vaincu, ce devait être la faute des Juifs. Il fallait qu'une société naisse, pure de ces éléments nocifs. Nous avons connu cela. Le groupe centré autour de Arndt s'intitulait « Cercle germano-chrétien » et précisait qu'il n'admettait ni les Français, ni les femmes, ni les « Philistins » (c'est-à-dire ni les petits-bourgeois), ni les Juifs. D'autres groupes existaient qui ne valaient guère mieux. Une organisation patriotique dirigée par Jahn réunissait ses membres sous prétexte de gymnastique, formule dont firent usage les Tchèques quand ils préparèrent leur libération des maîtres austro-hongrois. Comme les autres salons — à l'exception de celui de la princesse Radziwill, sœur de Louis-Ferdinand — celui de Rahel cessa d'exister. Encore une fois, la solitude de cette dernière ne correspondait pas au vide absolu qu'elle décrivait mais sans doute, en ce moment de détresse, éprouvait-elle plus encore qu'à l'accoutumée le besoin de se sentir entourée d'amis. Pourtant si les réunions régulières lui manquaient — l'absence de Louis-Ferdinand, ce merveilleux complice, créait un grand vide —, s'il lui fallut se contenter de quelques heures passées avec l'un ou avec l'autre, ses visiteurs de l'époque se nommaient Fichte, Schleiermacher, le philologue August Wolf, nouveau venu dans son entourage. Wilhelm von Humboldt — dont les discours la concernant passaient du dénigrement à l'admiration — selon ce qu'elle écrivit à son frère, se rendait quotidiennement chez elle. Les uns et les autres constituaient des relations fort honorables.

Fichte, ce n'était pas seulement chez elle qu'elle le voyait, mais aussi à l'Académie où le philosophe tenait des conférences auxquelles se précipitait le plus clair de l'élite locale. Sans doute Rahel et Varnhagen s'y croisèrent-ils ... mais elle ne le connaissait pas. Ces conférences furent pour la classe prussienne cultivée, un des événements les plus caractéristiques de l'époque. Peu à peu, à l'appel du philosophe, naissait parmi ces gens, que leur culture jusque-là reliait à la France, un sentiment national.

A ce pays vaincu auquel certains dirigeants souhaitaient faire accepter quelques réformes — les réformes déjà instituées en Allemagne centrale —, Fichte, l'ancien admirateur de la Révolution française, par son *Discours sur la nation allemande,* apprenait que L'Allemand est « l'élu du dessein divin universel ». Pas moins! Ah que Constant semble la voix du bon sens quand il écrivait, presque à la même époque : « La philosophie française qui ne reconnaît que l'expérience, et la nouvelle philosophie allemande qui ne raisonne qu'a priori ne peuvent, je ne dis pas s'entendre, mais pas même s'expliquer. »

Pendant ce temps, malgré ce délire verbal, les nouveaux ministres essayaient d'insérer socialement la Prusse dans son temps. Des lois furent décrétées qui mirent fin partiellement au servage paysan, d'autres qui permirent à certains Juifs de se considérer — presque — comme les autres Prussiens.

« J'étais un soir chez des amis pour le thé et je faisais lecture de quelques pages de Wieland, quand on annonça une visite. Aussitôt se produisit un mouvement de curiosité comme à l'annonce d'une agréable surprise. [...]

» Je vis paraître une petite personne agile, gracieuse et bien prise, aux formes délicates et pleines, qui avait les mains et les pieds extrêmement petits. Le visage, encadré d'épaisses boucles noires, frappait par une haute distinction intellectuelle. Il eût été difficile de dire si ses yeux sombres, à la fois mobiles et fermes, cherchaient autour d'eux plus qu'ils ne livraient. Une expression douloureuse prêtait une douceur particulière à sa physionomie ouverte. Vêtue de sombre, elle avait quelque chose d'une ombre furtive mais pourtant d'aisé et de décidé. [...]

» Mais surtout ce qui me fit le plus d'effet ce fut le timbre grave et doux de sa voix qui montait comme un son de cloche du profond de l'âme et sa manière tout à fait originale de s'exprimer. »

Voilà comment Varnhagen relate sa première

rencontre avec celle qui devait devenir sa femme. C'était en 1803.

Au cours d'une matinée du printemps 1808, encore quelque peu enneigée, Rahel et une amie se promenant sur les Champs-Elysées berlinois, l'avenue des Tilleuls, croisèrent un jeune homme qui, après quelques hésitations, s'approcha d'elles : il connaissait la compagne de Rahel. Le jeune homme qui se nommait Auguste Varnhagen avait vingt-neuf ans et était étudiant en médecine. Au cours de la conversation, il fit allusion à une opinion qu'aurait émise Rahel et qu'elle récusa. Quand le moment vint de se séparer, forte de ce léger accroc, Rahel lui conseilla de contrôler, si cela était possible, ses références aux sources mêmes. Varnhagen, se le tenant pour dit, ne tarda pas à se montrer chez la grande hôtesse.

L'habitude de se rendre chez elle fut vite prise; Varnhagen aspirait depuis longtemps à cet honneur, Rahel accueillit avec plaisir un admirateur jeune, attentif, averti littérairement. Il semble que leur amitié devint assez vite un rapport plus intime dont Varnhagen, contrairement à Urquijo, ne tira pas avantage pour mépriser sa partenaire. L'été venu, Rahel se rendit à Charlottenbourg dans les environs de Berlin où, chaque après-midi, le jeune homme venait la rejoindre.

De ce que furent alors leurs relations, nous possédons un tableau passablement idyllique grâce à une lettre de Rahel : « Notre rapport si joyeux, affectueux, enfantin, gai, nos courses, nos repas, notre joie du bon air, notre chasse au plaisir, notre existence sans exigence, sans plan et sans but. Le meilleur étant que nous ne nous jouions pas la comédie l'un à l'autre. »

« J'ai l'impression d'avoir passé l'été à Athènes », lui fut-il répondu.

Des témoignages sur Varnhagen — à l'exception de celui de Marwitz qui fut son ami — concordent pour montrer qu'il ne se contentait pas tant qu'on l'imagine de se montrer comme un reflet. « L'éternel frondeur », dit de lui Custine qui fut de ses intimes, et, après la mort de Rahel, Heine déclara que si les circonstances l'y poussaient, Varnhagen, ce faux doux, pourrait devenir un second Robespierre.

Qu'il fût parfois la tête pensante du couple, l'évolution de Rahel vers ce que j'appellerai « la gauche » en témoigne. Alors, pourquoi cet homme s'accrocha-t-il avec tant d'ardeur à une femme de quatorze ans plus âgée que lui, qui ne se gênait pas pour le tancer? Eh bien tout simplement parce qu'il l'aimait. Oh je sais, toutes les interprétations sont ici possibles, ne serait-ce que celle que, jeune orphelin de mère, il retrouva une mère en Rahel. Soit, mais on peut se demander si le rapport amoureux implique nécessairement une prédominance de l'homme pour se justifier. Rahel était plus âgée que Varnhagen, George Eliot était plus âgée que son compagnon, Virginia Woolf joua dans la littérature un plus grand rôle que Léonard Woolf. La part qu'un homme et qu'une femme prennent dans un couple n'est sans doute pas aussi précise qu'il est habituel de l'imaginer. Rahel n'a vraiment été liée qu'à des hommes plus jeunes qu'elle, peut-être qu'inconsciemment elle souhaitait ne pas être dominée, surtout par qui ne l'égalait pas, sans doute avait-elle besoin d'aider un être à se trouver. J'aurais d'autres exemples, assez proches de moi, à citer. Ce qui m'étonne pourtant, mais cela seul m'étonne, c'est que celui qu'elle assista dans sa conquête, la chrysalide devenue papillon, ne s'envola pas au loin (que voilà une image romantique!). Revenons à Rahel et à son destin amoureux. Gentz lui-même avait reconnu qu'entre elle et lui les rapports étaient inversés, qu'elle était l'élément masculin, lui, l'élément féminin. Toujours est-il que contrairement à l'opinion de la plupart de ceux qu'a intéressé le sort de Rahel et Varnhagen, je crois qu'ils furent heureux ensemble, se complétèrent, acceptèrent par amour, l'un de jouer un peu le fils, l'autre un peu la mère et que, s'il l'aima, elle aussi l'aima, bien que d'une autre façon. Ses lettres, y compris celles qu'on vient de lire, sembleraient en témoigner. Qu'ils restèrent ensemble une fois atteint le plein épanouissement de Varnhagen, est à leur honneur à tous deux.

Mais je ne me mêlerai pas de dire ce que Rahel ressentait pour Varnhagen dans son cœur et dans sa tête: en l'occurrence ses lettres même, dont la sincérité est reconnue, ne sont que des témoignages de l'instant que l'instant suivant peut démentir. Tout au plus peuvent-elles servir de flèches indicatrices. Aussi ne me permettrai-je de les interpréter que comme on choisit une route plutôt qu'une autre pour parvenir en un lieu.

Voici donc, vues ainsi, quelques extraits de missives que je livre à mes lecteurs :

« Cher bien-aimé, comment t'écrire? J'ai presque des regrets d'avoir pu me distraire de ton absence. De force je me suis arrachée à l'angoisse, à la nostalgie, à la peur. Comme les choses ont été différentes de ce que j'attendais. Quand bien même je ne posséderais plus jamais autre chose, je penserais à toi et à l'été que nous venons de passer ensemble et à toi... Tu me rends folle de bonheur quand tu me dis qu'on voit que tu es meilleur, que tu es même devenu plus solide. »

Et encore :

« Je croyais que je ressentirais tout de suite, douloureusement, ton absence. Pas question. J'étais assise dans la voiture, traversais les forêts et les champs et j'étais à tes côtés. Oui, oui, j'ai été trop longtemps, trop sérieusement, trop profondément et même trop inconsciemment mêlée à toi pour pouvoir séparer quoi que ce soit de toi, pensée, plaisir, opinions vraies ou fausses. Je voyais tes regards, le reflet de tes cheveux, les expressions de ton visage, je sentais ta présence, mes mains touchaient les tiennes! Bref tu étais présent, toi tout entier. Et ce n'est que lorsque je me suis interrogée sur la cause de mon angoisse que j'ai dû reconnaître que tu n'étais pas là, cher bien-aimé. Comme je suis éprise de toi, comme mon amour s'éveille en moi tandis que je t'écris. »

Le patriotisme allemand naissait, créé par la présence de l'envahisseur. Hier encore il semblait à des hommes comme Lessing, Herder, ou Schiller un sentiment dont ils « n'avaient aucune idée », et voici qu'ils le concevaient avec une intensité due à la souffrance. « Je m'adresse aux Allemands simplement et je ne tiens aucun compte des distinctions qui peuvent nous séparer les uns des autres, que les siècles peuvent avoir produites dans cette nation unie », proclamait Fichte du haut de sa chaire où, selon l'imagerie de l'époque, il se tenait, tendu, grimaçant, penché en avant au point de sembler vouloir tomber. « Ce n'est absolument et uniquement qu'en nous souvenant de notre qualité d'Allemands que nous pouvons prévenir la ruine totale de notre nation. »

Le sentiment d'infériorité culturelle ressenti jusque-là par la Prusse se transformait en sentiment de supériorité. « Le peuple allemand seul est resté en contact avec les forces originelles qui ne peuvent, à la longue, que dominer. Les mythes, les traditions font sa grandeur, reliant ses membres entre eux. »

Devant ce déferlement nouveau, Rahel se sentait quelque peu à l'écart, à la fois en tant que femme et que Juive. Sa vie matérielle, devenue plus difficile, limitait ses activités : sans domestique mâle pour l'accompagner, portant à bout de bras l'indispensable lumignon, point n'était question de sorties nocturnes. Recevoir comme par le passé, même en s'en tenant au thé et à une seule bonne, devenait difficile, impossible presque, les allées et venues d'hôtes impliquant l'ouverture de la porte, le rangement des vêtements — encombrants quand il faisait froid — leur redistribution au départ. Les faibles revenus qui lui restaient alors lui permettaient à peine un train de vie quotidien rendu plus coûteux par le paiement des sommes imposées par les troupes d'occupation. Nous avons connu tout cela, y compris l'étonnement mêlé d'indignation que suscitait en nous cet état de choses. Ce que nous n'imaginons qu'avec difficulté, nous qui avons été élevés dans une France où existe de longue date le sentiment national, est l'ambiguïté des sentiments qui habitaient alors l'élite berlinoise : « Eh quoi, voilà donc ces Français que nous admirions tant, ces hommes dont la culture a si fortement contribué à nous former? »

Pour lutter contre cet envahisseur plus proche que les lointains parents habitant les confins du Saint-Empire, il fallait prendre conscience de ses propres racines — du moins était-ce ce qu'on imaginait. Dans les nécessités de la lutte, on acceptait néanmoins des compagnons qui ne s'étaient joints à la communauté que récemment. Puisqu'il s'agissait de mourir pour une patrie nouvellement créée — bien qu'ayant ses origines dans un passé lointain —, on acceptait que les cadavres juifs pussent être mêlés aux cadavres chrétiens, l'argent juif contribuer à la libération des purs Germains, on fermait les yeux sur leur tare originelle en faisant comprendre qu'on les fermait et que, presque sûrement demain ou après-demain, on les ouvrirait à nouveau. Ce qui en effet fut le cas dès 1813. Confusément, Rahel pressentait cela; aussi ce qu'elle éprouvait pour l'Allemagne était-il sujet à quelques variations. L'ambiguïté concernant les siens — et elle-même — contribuait à lui faire ressentir cet appel nouveau, le patriotisme, sous la forme d'un attachement sans réserve au souvenir de Frédéric II : « Je ne serais rien sans lui, écrivait-elle, étant donné ma naissance; il faisait place à chaque plante dans son pays de soleil. C'était un honneur que de dire qu'on en était, vrai avantage pour l'âme et le corps. »

Mais la souffrance qui atteignait ceux au milieu desquels elle vivait et qu'elle voulait considérer comme les siens, lui faisait mal : « J'ai pleuré toute la journée, j'ai pleuré des larmes abondantes, des larmes amères d'attendrissement et de dépit. Oh, je n'ai jamais su que j'aimais autant mon pays. »

Varnhagen était né à Düsseldorf mais avait connu une enfance migratrice. Son père, médecin, d'un esprit « avancé » tant dans le domaine scientifique que dans le domaine politique, quitta Düsseldorf pour la France; Strasbourg l'ayant moins bien accueilli qu'il l'espérait, il retourna à Düsseldorf, où il fut moins bien accueilli encore. Ses initiatives médicales et son soi-disant jacobinisme inquiétaient ses concitoyens. Là-dessus, il reprit les chemins de l'exil intérieur avec armes et bagages, femme et enfants. Un peu de l'instabilité paternelle échut au fils. Quand en 1798, celui-ci fut orphelin, il quitta Hambourg, où il avait commencé ses études de médecine, pour les continuer à Berlin. Mais là aussi son séjour fut de courte durée : la « pépinière militaire » où il était inscrit, le jugea par trop indiscipliné, ce qui sans doute ne manquait pas de vérité. En profondeur ce qui l'intéressait était la littérature. Il avait déjà fort honorablement collaboré à une revue où il avait rencontré le frère de Rahel. Mais, pauvre comme il l'était, il ne lui restait que l'issue réservée à l'époque — avec les études ecclésiastiques — aux jeunes hommes ayant des goûts intellectuels mais dépourvus de moyens financiers : le préceptorat. Cette fonction, il l'exerça successivement dans deux familles, juives l'une et l'autre. Lui-même d'ailleurs était né d'un mariage entre un protestant et une catholique. Au moment de sa rencontre avec Rahel, c'est à Tübingen qu'il résidait et continuait ses études.

Quelque peu Julien Sorel, il était devenu à Hambourg l'amant et presque le fiancé de la mère de son élève, veuve comme il se devait. Presque tous ceux qui ont parlé de Rahel se sont étendus sur le manque de charme de celui qui allait devenir son époux. Ce manque de charme semble avoir été capable de séduire, puisque à vingt-trois ans Varnhagen se trouvait engagé — ou tout comme — envers deux femmes de bonne qualité. Informées l'une et l'autre, elles laissèrent le jeune homme libre de son choix. La veuve de Hambourg poussa même l'élégance jusqu'à aider financièrement son ex-amant à continuer ses études. Quant à Rahel, elle joua le jeu de la sincérité. Non seulement elle informa Varnhagen du déroulement de son idylle avec Urquijo, mais elle lui fit lire les lettres qu'elle avait alors écrites. A cela elle ajouta le récit de conversations avec son amie Nette, conversations pour le moins curieuses et peu faites, semblerait-il, pour inciter à l'amour :

« Nette orienta la conversation, selon son habitude, et je lui dis que Finck me semblait un enfant, que j'étais sans amertume envers lui; elle en sembla fort étonnée. Je lui dis qu'à la fin j'avais cessé de l'aimer — bien que ce ne fût pas là la raison essentielle — mais, même contre Urquijo, je ne ressens de colère que parce qu'il tient des discours pour expliquer que je ne dois pas me rendre dans les lieux où il se trouve! »

Il y a dans une telle loyauté quelque chose de bouleversant. Elle-même le sentait : « Je ne peux pas mentir, écrit-elle; avec toi, précisément toute la vérité se révèle. » Et de fait, cette loyauté même contribua à lui attacher Varnhagen.

Ce qui peut sembler plus curieux dans l'existence de ce couple, c'est la quantité de « vérités de la Mansarde » — le plus souvent énoncées gentiment, mais pas toujours — que Rahel fit accepter par Varnhagen. Ces « vérités » étaient compensées en général par des phrases d'une tendresse vraie et prenaient valeur de conseils judicieux, concernant par exemple son activité d'écrivain. Il reste que peu nombreux, surtout parmi les Allemands de l'époque, sont les hommes qui auraient accepté avec tant de bonne grâce ce qui à Varnhagen semblait une preuve d'attachement. Mais si Varnhagen réagit avec tant de bonne volonté aux réflexions que lui fit Rahel, n'est-ce pas parce que, contrairement aux romantiques allemands qui s'acceptaient sans souci de s'améliorer, qui pensaient que seul le temps ou les événements pouvaient les modifier sans qu'eux-mêmes fissent rien pour cela, il était, lui, un Rhénan, c'est-à-dire un homme élevé en contact direct avec la France? Lui seul à cette époque semblait croire qu'il pouvait progresser grâce à ses propres efforts, qu'il dépendait de lui d'améliorer ce « moi » dont il était loin de se sentir satisfait. Il n'avait pas goût à suivre sa pente comme un Gentz ou un Louis-Ferdinand; c'est pourquoi sans doute sa rencontre avec Rahel lui parut si précieuse.

Quand il s'agissait de lui-même, Varnhagen, bien que n'étant pas un romantique, se livrait à l'analyse complaisante qui leur était propre. Ses particularités, il les décrivit avec minutie à Rahel : « A cause de mes origines, par habitude, j'étudie la médecine, mais à chaque fois que les circonstances m'ont contraint d'entreprendre autre chose, je n'en ai ressenti aucune douleur. Cependant la médecine ne me répugne pas plus que toute autre activité. Une chose me serait précieuse et utile : vivre libre et sans profession. Je sais ce que, dans une telle liberté, je serais à même d'accomplir pour moi et les autres, bien que les dispositions de ce monde ne permettent pas de donner un nom précis à ces activités... Mais aussi longtemps que rien de décisif ne m'appellera, j'en resterai à la médecine et deviendrai médecin. »

Cette déclaration était précédée d'une autre : « Je ne sais, en ce qui me concerne, qu'une seule chose qui, hélas, est négative, mais celle-là, je la sais avec une conviction véritablement divine qui est que je suis un grand écrivain raté, ou mieux, que la matière dont j'ai été formé, a été insuffisante. Tout le reste de mon être me demeure incompréhensible et totalement obscur. Je n'entends pas de voix en moi, je ne sens pas en moi le plus petit trait qui pourrait, le plus discrètement qui soit, m'indiquer quelle est ma vocation et mon monde; dans ces conditions, ma pauvreté me pousse à choisir une carrière, à la poursuivre et à m'y tenir. »

Comment, après un tel discours, s'étonner que l'homme qui le tint, étant donné l'époque et les circonstances, presque malgré lui, en tout cas malgré Rahel, bien que le lien se resserrât de plus en plus entre eux deux, un beau jour de 1809 rejoignit l'armée autrichienne? La Prusse, elle, ne se décidait pas à l'action.

Pour être plus sûr d'être intégré dans l'armée, Varnhagen acheta l'uniforme d'un officier mort au cours de la bataille d'Aspern. Ainsi vêtu, il fut accueilli par le comte Bentheim qui commandait un régiment d'infanterie. Tout cela pour participer à la bataille de Wagram au début de laquelle deux balles traversèrent sa cuisse, le transformant en blessé immobilisé dans un fourgon. Une convalescence à Vienne en compagnie de son supérieur les lia d'une amitié vraie. La convalescence continua à Prague, toujours aux côtés de Bentheim.

La paix revenue, le jeune homme se trouva plus que jamais sans perspective d'emploi. Sa demande d'engagement dans la nouvelle université de Berlin resta sans résultat. Des projets saugrenus lui vinrent alors en tête, dont celui d'aller combattre les Turcs, ce qui lui valut une lettre fort irritée de Rahel.

« Ne va pas faire cette nouvelle sottise, lui écrivit-elle assez drôlement. Faire du butin et gagner des batailles (il venait d'en perdre une), vois-tu, ce n'est pas ton affaire. Tu n'y gagnerais que la peste ou, en mettant les choses au mieux, une jambe de bois... Tu es soldat, tu vois le monde, tu voyages. Fort bien. Mais moi, que dois-je faire?... »

Oui, mais que pouvait-elle lui offrir qui leur permît de vivre tous deux? Elle-même ne disposait plus que de moyens réduits, vivotait, repliée à Charlottenbourg, veillant sur sa mère mourante et dépendait entièrement de ses frères, comme il convenait pour une bourgeoise de l'époque. Dans une période de trouble comme celle que connaissait l'Europe d'alors — comme celle que connut l'Europe dans laquelle j'ai vécu —, coincé entre deux guerres, ressortissant d'un pays au régime mouvant, que pouvait faire Varnhagen d'autre que ce qu'il fit? Il se cramponna à son colonel. Quand celui-ci partit chargé de mission, pour Paris, il l'accompagna; là-bas il rencontra, entre autres, son ami l'écrivain

Chamisso, officier, lui aussi, de hasard et de fortune. Varnhagen resta encore quelques années dans l'armée.

Varnhagen, après la bataille d'Aspern, n'avait pas été le seul à vouloir s'engager aux côtés des Autrichiens qui semblaient alors vainqueurs. A ses côtés, parmi des centaines d'autres jeunes gens, se trouvait un de ses compagnons de pensionnat, Alexandre de Marwitz. Grand hobereau prussien, Alexandre était le frère de ce Ludwig qui fut ministre quelque temps. Après quoi, ayant manifesté ses opinions réactionnaires avec trop de virulence, il fut quelque temps aussi symboliquement gardé prisonnier dans la forteresse de Spandau par Hardenberg, ministre aux tendances libérales. Alexandre, lui, n'était pas aussi clairement réactionnaire : c'était une nature romantique, proche de celle de Kleist qui en 1811, se suicida. Sans la guerre et sans sa rencontre avec Rahel, il n'est pas impossible que le jeune Marwitz eût suivi la même voie. Mais envers Rahel, il eut une curieuse fixation à laquelle elle se prêta. Ce rapport, à peine trouble, était sans doute pour elle une compensation aux tergiversations de son fiancé; cela sans même qu'elle s'en rendît compte. Et puis, elle, « l'aimeuse » aux tendances éducatrices, ressentait à la fois le besoin d'échanger des idées et de se pencher vers plus faible qu'elle. La correspondance entre ces deux natures exigeantes dans l'amitié remplit tout un volume. Elle est marquée par les courants idéologiques de l'époque, par des comptes rendus de lecture et une commune admiration pour Goethe, mais aussi par une complaisance envers soi qui nous paraît presque impudique aujourd'hui.

Or, presque tout le temps que dura cette amitié qui ne s'acheva qu'avec la mort de Marwitz, chacun de ses partenaires était engagé dans une autre aventure sentimentale. Rahel devenait, de plus en plus, la future épouse de Varnhagen, Marwitz se considérait comme l'hypothétique fiancé d'une femme mariée, la compagne de Schleiermacher. L'histoire est assez caractéristique de l'époque pour valoir qu'on s'y arrête un moment. Voici donc ce que dit d'elle Varnhagen dans un écrit resté inédit :

« Schleiermacher épousa une belle et florissante veuve, une femme intelligente, noble, aux sentiments vifs, à l'esprit éveillé et d'une libre sincérité. Alexandre von der Marwitz ayant suivi les conférences de Schleiermacher était devenu de ses amis. Quand plus tard Marwitz rencontra la jeune femme, il fit sur elle la plus vive impression. Une passion juvénile, ardente, telle un premier et haut amour s'éveilla en elle. Marwitz ne partagea pas cette ardeur mais elle l'entraîna néanmoins à croire qu'il l'aimait. Sans délai, Mme Schleiermacher se confia à son mari, son “plus noble ami, le confident de son cœur”, à qui elle ne pouvait dissimuler ses plus intimes sentiments et dont elle ne pouvait se passer dans son bonheur et son égarement. Que pouvait dire Schleiermacher? Il vit la chose telle qu'elle était, sa richesse, sa puissance, il n'en récusa ni la beauté ni la noblesse, mais n'en ressentit pas moins une profonde douleur. Il souffrit inexprimablement. Il ne pouvait être question d'une opposition : il estimait Marwitz qui l'admirait. Ils portèrent tous trois leur destin avec noblesse, restant libres et francs dans leurs propos et cependant tenant compte de l'autre dans leurs actes. Leur passion atteignit des sommets. La douleur de Schleiermacher était telle qu'il décida de se laisser mourir, pour échapper à sa souffrance et pour ne pas constituer un obstacle au bonheur de sa chère épouse : en secret, il diminua sa ration de nourriture quotidienne espérant se « dévorer » lui-même jour après jour. A la vérité, Marwitz n'était qu'à demi amoureux et ne souhaitait pas vraiment se consacrer tout entier à cette liaison. Il ne s'induisit pas en erreur et n'induisit pas la jeune femme en erreur : sa vie se jouait sur un autre plan. Mais il estimait profondément son amie, la vénérait même. La guerre éclata en 1813. Marwitz rejoignit les armées et mourut à Montmirail en 1814. La compagne de Schleiermacher fut fidèle à son souvenir mais connut alors avec son époux-ami, « le meilleur confident de son âme, un rapport que désormais rien ne vint plus troubler ».

J'ignore si ce couple heureux eut beaucoup d'enfants. Mais ce qui, dans le comportement de ces trois êtres, me frappe précisément est que leurs réactions sont datées : cinquante ans plus tôt, cinquante ans plus tard, elles eussent été impensables. La sensibilité change d'une époque à l'autre comme le vent. Existe-t-il une étude sur ces mutations? Ici aussi, il me faut avouer mon ignorance. Pourtant il serait intéressant de savoir quelles sont les normes de la sensibilité à telle ou telle époque. Celles du romantisme lui sont en tout cas propres à l'extrême : à quelle autre époque pourrait-on imaginer une femme d'une aussi indiscutable noblesse d'âme que Rahel, lire sans indignation ce qu'au début de leur amitié Marwitz lui écrivit au sujet de Varnhagen, pourtant leur ami à tous deux? Ce que, d'autre part, ce dernier lui écrivit au sujet de Marwitz? L'un et l'autre ont d'ailleurs tort et raison dans leurs affirmations : Varnhagen — en ces années du moins, car il s'épanouit tardivement — devait être un personnage terne, sans grande élégance, et peu authentique aux yeux d'un jeune aristocrate. Mais ce dernier avait vraiment fait fouetter jusqu'à ce que mort s'ensuivît — ce qu'il n'avait ni voulu ni prévu — un des soldats sous ses ordres. Tolstoï corrigera lui aussi son domestique à coups de cravache. Et cependant si Marwitz, à certains moments, était incapable de se dominer, il n'en était pas moins, le plus souvent, un homme de grande qualité, ainsi que Rahel l'affirmait. D'ailleurs, celle-ci n'avait-elle pas une fois pour toute décrété qu'elle ne jugeait pas les hommes d'après des fragments de leur conduite ou de leur caractère mais bien d'après l'ensemble de leur être. Restait entre eux la difficulté d'un antisémitisme probable : Marwitz était le frère puîné d'un ministre, antisémite notoire. Mais Marwitz, jeune, était-il vraiment antisémite? Varnhagen ne l'était sûrement pas, grâce sans doute à ses origines mêlées. Mais il n'était pas noble et ne possédait pas de terres, et puis, il avait été élevé au contact d'une France libératrice des Juifs. Rappelons cependant que si la France révolutionnaire avait octroyé aux citoyens juifs tous leurs droits — ces droits avaient été limités par Napoléon qui les accorda ensuite aux Juifs allemands soumis à sa législation. Encore une fois Marwitz — pris parmi d'autres — était-il antisémite? On hésite à le dire quand il écrit à Rahel :

Rotterdam, janvier 1813

« Je suis arrivé ici, chère Rahel, souffrant et blessé. Busch s'est, une fois encore, rendu chez moi ce matin. Le Juif n'a rien voulu entendre et j'ai bien dû lui dire que je ne pouvais lui donner les 700 thalers. Les larmes lui sont montées aux yeux, il m'a embrassé et il s'en est allé. Je me suis demandé si je devais lui courir après et tout lui donner. Il m'a regardé comme si, lui, eût été prêt à le faire pour moi. Certes, il peut plus facilement que moi se permettre ce genre de chose car il est moins réfléchi que moi (ah!). Un nuage de doute et d'incertitude s'est abattu sur moi, à quoi il faut ajouter les scènes d'hier. Ah, de quelle façon les meilleurs êtres humains se conduisent-ils les uns envers les autres. Oui, il y avait tant de pureté, tant de bonté et de droiture dans tout ce qui m'est arrivé et cependant je m'en vais inapaisé, l'âme blessée et dans la confusion. »

Mais peut-être Marwitz oubliait-il que Rahel était juive quand il lui adressa pareille lettre : « On ne peut échapper à son temps », écrivit Rahel à Marwitz.

Elle y échappa cependant pour quelques semaines. Durant l'été 1811, Varnhagen vint la rejoindre à Berlin. Ce furent d'heureuses retrouvailles qui, après une courte séparation, reprirent à Teplitz, petite ville d'eau où, quand elle en avait les moyens, Rahel accomplissait la cure thermale rituelle alors pour les gens de sa classe. Cette année, le plus clair de la vie sociale allemande semblait se dérouler dans ce cadre mi-rustique mi-mondain. Le jeune couple y retrouva le prince de Ligne, vieil ami de Rahel qu'elle avait rencontré pour la première fois en ce même Teplitz. Le ministre Stein y vint aussi. Un peu plus tard s'y rendirent le grand-duc de Weimar, protecteur de Goethe, un frère du commandant, ami de Varnhagen, Eugène de Bentheim, Beethoven. Le grand musicien avait-il entendu parler de l'hôtesse juive? Toujours est-il qu'il sentit très vite l'importance que la musique avait pour elle. Déjà à l'époque, il était presque sourd. Communiquer avec Rahel ne lui fut possible qu'à travers ses œuvres : des heures durant, il les joua pour elle, assise à ses côtés. Il envisagea même d'écrire un opéra dont Varnhagen aurait rédigé le livret. Les temps se prêtaient mal à de tels projets. Des complots éclataient un peu partout dans une Europe faussement soumise : Andréas Hofer fusillé à Mantoue, le libraire Palm, qui avait contribué à répandre un tract antinapoléonien exécuté. Cela aussi nous l'avons connu, le chuchotement qui entoure les morts, l'admiration que l'on n'ose pas montrer, l'angoisse devant les menaces qui se précisent et, à la veille même d'événements qui changeront les destins, les bonheurs inviduels. « Souvent quand nous rentrions tard dans la nuit, nous avions peine à nous enfermer dans nos chambres. Le scintillement si vif des étoiles, les ombres étranges des arbres, le tiède silence de l'atmosphère, tout contribuait à envoûter nos esprits... nous nous sentions grisés, comme noyés dans la féerie nocturne », écrit Varnhagen. Durant ce temps le jeu des alliances se faisait et se défaisait : la guerre entre la France et la Russie éclata. Une fois encore la Prusse allait être traversée par des armées à la veille de s'affronter. Rahel rejoignit Berlin, Varnhagen rejoignit Prague.

De retour là-bas son avenir ne se précisa toujours pas, ce qui n'était point étonnant à l'époque : les perspectives pour un jeune intellectuel peu fortuné relevaient plus du hasard que du mérite. On voit le chemin suivi par un Gentz avant qu'il parvienne à la notoriété. Varnhagen prit, sans résultat, contact avec les uns et les autres. Pendant ce temps, la vie culturelle à Berlin se réduisait de plus en plus. « Tous les jours, écrira le minutieux mémorialiste qu'avec l'âge il était devenu, tous les jours l'état de Berlin devenait plus triste. Le nombre de ceux qui virent leurs sources de revenus se tarir, leur vie s'appauvrir, grandissait. Les caisses ne payaient plus, les capitaux ne portaient plus d'intérêts; partout régnait l'angoisse. » Les « Unions patriotiques » se multiplièrent, l'exaltation de la germanité, du passé allemand, des vertus allemandes, atteignit le délire. Qui n'était pas porté à y participer de tout son être se jetait avec la même ardeur dans la foi catholique. Certains cumulaient les deux passions.

Rahel, elle, redoutait la haine. « Nous vivons comme autrefois entourés des éléments les plus brutaux. Les agressions les plus violentes, les vols, les instincts les plus forcenés et les plus agressifs d'attaque ou de défense peuvent à tout instant venir rôder jusqu'à nos portes. En somme, nous n'avons aucune avance sur les sauvages. »

Dans cette halte que fut pour lui Prague, Varnhagen eut l'idée de réunir tout ce qui, dans les lettres échangées entre Rahel et lui, avait trait à l'œuvre de Goethe. Le 20 novembre, il envoya ces feuillets au maître qui les considéra d'un œil bienveillant et répondit qu'en ce moment où il était sur le point de se rendre des comptes à lui-même, et d'en rendre aux autres quant à sa vie et son œuvre, rien ne lui semblait plus souhaitable que de savoir ce que des êtres aussi remarquables que ces correspondants pensaient d'elles. Ces correspondants lui semblaient former un couple très intéressant « tant dans leurs accords que dans leurs désaccords ». Aussi, malgré quelques restrictions, accepta-t-il de bon gré la publication de l'écrit. Le curieux est que Goethe crut deviner que derrière l'initiale G se trouvait un homme et derrière l'initiale E une femme, quand il en allait exactement du contraire. Mais c'était là un détail aux yeux de Varnhagen pour qui seule comptait la bienveillante attention de l'illustre écrivain. « J'ai remporté cette victoire avec toi... », écrit-il à sa fiancée. « Et maintenant, chère Rahel, ai-je le droit de lui dire qui tu es? » On imagine sans peine la gratitude de Rahel. Pouvoir déposer un jour aux pieds de « ce plus merveilleux des humains » l'amour et le respect admiratifs qu'elle lui portait, était le plus secret de ses vœux. Et pourtant, « en me tenant à l'écart de Goethe j'ai obéi au plus profond de mon être ». Bien entendu, elle ne s'opposa pas à ce que Varnhagen dise au maître qui se cachait derrière le jeu d'initiales mais, ajoute-t-elle, « il ressentira un pénible étonnement en découvrant qu'il s'agit d'une créature aussi insignifiante que moi ». La correspondance parut l'année suivante dans le journal du grand éditeur Cotta. Elle rapporta à Varnhagen une somme de huit livres en or grâce à laquelle il passa quelque temps auprès de Rahel.

Après le beau temps, la pluie.

A Prague, Varnhagen avait retrouvé l'écrivain

Clemens Brentano qu'il connaissait de longue date et qu'il avait présenté à Rahel l'année précédente. Leurs rapports — ceux entre Varnhagen et Brentano — étaient bons bien qu'en nombre de points, leurs opinions divergeassent : Brentano, entre autres, était notoirement antisémite. Aussi Varnhagen aurait-il dû se méfier quand un beau jour son ami, sans aucun prétexte, lui montra une lettre parfaitement désagréable adressée à Rahel. Varnhagen ne s'opposa pas à l'envoi de la missive. Ne fit-il que parcourir son texte? Dans quel esprit, à quel moment? Dans quelle ambiance la lut-il? On l'ignore. Toujours est-il qu'il accepta qu'elle parvînt à Rahel. Que celle-ci s'indignât de l'insulte était prévisible. Et aussi, qu'elle écrivît une lettre révoltée à l'homme qui, au lieu de la défendre, avait permis qu'on l'attaquât. Quand Varnhagen comprit « l'étendue de sa faute », son désespoir s'exprima avec un excès tout romantique. « Depuis que j'ai lu ta lettre... la guerre qui hier matin m'inspirait de l'horreur me semble ce soir presque souhaitable. »

Mais, inconsciemment, Varnhagen ne gardait-il pas un peu de rancœur envers Rahel pour certaines de ses remontrances? Certaines phrases semblent presque le faire croire. « Au sens de la justice dont tu fais usage envers moi se mêle quelque injustice... Ne crois pas que je sois faible... J'ai assez de témérité pour continuer de vivre, assez de réflexion pour persévérer dans des activités pour lesquelles je n'ai plus ni goût, ni inclination. »

Sur ce, bien entendu, les amants se réconcilièrent, ce qui n'empêcha pas Varnhagen de passer à l'action, sous la forme d'une paire de gifles administrée à Clemens Brentano.

Voici le texte par lequel il informa Rahel de ce châtiment : « Je lui ai administré deux vigoureuses gifles. Là-dessus il s'est écrié :

— Vous allez certainement devenir mon meilleur ami; mon ami Gorres m'a de la même manière frappé au visage.

Ce disant, il voulait m'embrasser. Il se conduisit lamentablement mais aurait attaché peu d'importance aux gifles si, en même temps, je n'avais confisqué le manuscrit d'un de ses drames en gage d'une meilleure conduite. Là-dessus, il se répandit dans les plus ridicules lamentations. Dans un an, je le lui rendrai. La seule chose qu'il redoute, m'avoua-t-il, c'est que d'ici là quelque balle ennemie ne le tue. Il a reconnu son ignominie et pleuré. Il ne soupçonne pas que tu es irritée contre lui; l'affaire ne concerne que moi. Mais je lui ai conseillé de quitter Prague et il s'est hâté de le faire pour que d'autres ne lui administrent pas pareille correction; car il en a été question. Tout le monde à Vienne et Prague approuve la leçon que je lui ai donnée. »

Mais les conséquences de cet événement sont des plus curieuses : Brentano « encaissa » la leçon jusqu'à devenir l'ami intime de Varnhagen, jusqu'à le soigner au cours d'une maladie — une grippe sans doute — qu'il attrapa peu après. Les deux hommes, apprenons-nous, en vinrent même à se faire des confidences : « Nos rapports sont sans contrainte et joyeux », écrit Varnhagen à sa fiancée. Et de préciser : « Il parle, à présent, tout autant de toi que moi et va sous peu te rendre visite. »

En 1814, Rahel remit elle-même le manuscrit à son auteur.

Tant d'indulgence de la part de Varnhagen et Rahel envers un homme dont ils connaissaient les opinions étonne.

Mais peut-être cet étonnement est-il propre à notre époque? Il ne semble pas que Proust ait éprouvé de gêne à serrer la main d'une créature, homme ou femme, dont il savait qu'il méprisait la collectivité à laquelle il appartenait par sa mère. Serrer la main d'un Juif ne déshonorait pas un antisémite, serrer la main d'un antisémite, quand on était juif, semble n'avoir rien eu de déshonorant au début de notre siècle. Nous en avons de nombreux exemples, dont certains presque comiques : l'antisémite professionnel Drumont non seulement serrait des mains juives mais ne craignait pas de rencontrer des Juifs dans des maisons amies. Bernanos, disciple de Drumont, trouva normal d'accepter l'aide financière de l'avocat juif Torrès. Il écrivit dans *Marianne,* journal qui avait pour directeur un Juif. Il est vrai qu'être antisémite avant le grand massacre impliquait tout autre chose qu'aujourd'hui où nous savons les conséquences atroces que peuvent avoir certaines options.

Mais notre comportement de ségrégation s'étend plus loin, il s'étend à tout le domaine politique. A peine un communiste ose-t-il dire qu'il a passé la soirée avec un socialiste, je crois presque qu'il n'osera pas s'avouer à lui-même que l'homme avec lequel il dîne n'est pas du même bord que lui. Il semblerait qu'échanger des idées — opération qui pourtant implique des divergences — ne se puisse faire qu'avec des êtres avec qui déjà on est d'accord. Comme si certains désaccords impliquaient une totale incommunicabilité, comme s'il était impossible de convaincre un adversaire, mieux même, de le faire réfléchir.

Certes, l'adversaire a cessé d'être respectable depuis l'Holocauste, ce qui est justifié quand il s'agit d'un adversaire-assassin. Il reste que certains adversaires sont respectables ou devraient l'être aux yeux de leurs opposants en tant qu'individus, socialistes aux yeux des communistes, gaullistes aux yeux des socialistes. Comme s'ils redoutaient d'être contaminés par les convictions de leurs adversaires, seuls se fréquentent aujourd'hui les gens de même bord. En France du moins, car en Angleterre les choses sont autres. Nul ne se croit déshonoré pour avoir collaboré à un journal qui n'est pas d'accord avec lui, pour avoir serré la main d'un homme qui s'oppose à ses convictions ou lui avoir souri. L'important est la nature de la conviction et, comme du temps de Rahel, la sincérité de l'homme. Ajoutons que si l'on jouait vraiment aux jeux des exclusions, nous autres les femmes, que cinquante pour cent du monde rejette de l'humanité, de combien d'hommes ne devrions nous pas refuser de serrer la main?

En septembre 1812, les troupes napoléoniennes pénétrèrent dans Moscou, pour quitter la ville aux maisons de bois détruites par le feu, le mois suivant. A nouveau la grande armée déferla sur la Prusse; en mai cependant, l'occupant français quitta Berlin. La Prusse, enfin, se décida officiellement à la lutte : le 16 octobre elle déclara la guerre à Napoléon. Varnhagen s'engagea à Hambourg, sous les ordres du colonel Tettenborn dans l'armée russe. Pour toute cette période, la correspondance de Rahel et de Varnhagen est des plus éclairantes quant à la façon dont ils la ressentirent.

« Je t'embrasse, mon amie! Veille sur ta santé et apaise ton tendre cœur. Sur mon honneur tu le peux. Nous nous armons puissamment, le zèle des hommes dépasse tout espoir, ils se coupent volontairement de toute possibilité de retour à la soumission », écrit-il.

Comme on le voit, le ton devient viril, celui d'un homme responsable. Dans le couple qu'il forme avec Rahel, Varnhagen est en train de prendre le rôle que les siècles ont attribué au mâle.

Citons encore ce passage :

« Ici, je n'ai vu encore que peu de nos connaissances. Jacob Hertz est très brave mais il s'exprime sur les événements actuels aussi drôlement que courageusement. Comme tous les autres citoyens, il fait la garde et il m'a présenté les armes quand je suis passé devant lui. » La chose est certes drôle, mais elle devient révélatrice quand on pense que Hertz est juif, c'est-à-dire un homme qui, jusqu'aux récents décrets, était exclu de toute vie civique.

Disons-le tout de suite, Rahel est moins enthousiaste : les femmes ne lui semblaient pas destinées à devenir les hérauts de la guerre. « Je t'envoie, écrit-elle à Varnhagen, l'appel aux armes de Mme de Fouqué, Dieu du ciel, comme il est pitoyable! Elle ne savait qu'une seule chose, c'est qu'elle voulait rédiger un appel. » Suivent des critiques dont certaines sont drôles et valables encore aujourd'hui : « Tandis qu'elle [Mme de Fouqué] attaque la langue française, elle ne se montre même pas assez adroite et réfléchie pour ne pas faire usage de termes français! »

Et d'ajouter : « Un jour viendra où le nationalisme sera considéré tout comme l'amour de soi et autre vanité et la guerre comme une bagarre. Nous autres Allemands ne devrions nous parer que d'authentiques parures, c'est-à-dire de justice, de mesure, de loyauté. »

Non, en 1813 encore, Rahel n'avait rien d'une héroïne guerrière. La paix lui semblait toujours le plus beau cadeau qu'on pût faire aux humains, le patriotisme un sentiment qu'il fallait nuancer avec prudence, la guerre justifiable seulement en cas de défense. « Que nous soyons Allemands est le résultat du hasard. Mon pays ne me limite pas. Ce qui s'y passe d'idiot m'irrite. »

Cette lettre date du 5 avril mais le 20 déjà, le ton change. Non pas que Rahel soit devenue plus belliqueuse, mais l'arrivée à Berlin de blessés la bouleverse. La guerre prend alors pour elle un aspect concret : des hommes souffrent, il faut les aider. « Notre grand hôpital était dans un état épouvantable! Désordre et déprédation! Mais à peine la ville a-t-elle été informée de cette situation qu'il y a eu une levée générale... les médecins sont accourus, pourvus de gros sacs pleins d'argent, on leur a envoyé du linge, des lits. Cent vingt et une femme se sont mises à faire la cuisine, personne n'a dormi, personne ne s'est reposé... Dès le premier jour Markus et mes deux plus jeunes frères et six autres encore ont donné cinq cents thalers de vin, et encore trente thalers et de la vaisselle; les Juifs donnent tout ce qu'ils possèdent : c'est à eux que j'ai adressé mon appel en premier lieu. Henriette Hertz est incroyablement agissante, je l'excite pour qu'elle le soit davantage encore. Ah mon Dieu, si les chrétiens donnaient autant que les Juifs! Il n'y aurait du moins plus de pénurie ici. » Puis elle apprend à son « cher Auguste » ce qu'elle-même vient d'apprendre : tous les hôpitaux sont dans un état lamentable, dans aucun hôpital les malades ne sont soignés comme il conviendrait. « Il ne faut plus qu'aucun fournisseur, qu'aucun inspecteur puisse s'enrichir. Oh, Auguste, parle autour de toi de ces choses, toi qui es médecin. Oh, quand parviendra-t-on à vivre? Nous n'en sommes qu'aux préliminaires. »

Quinze jours plus tard cependant, épuisée, Rahel acceptera de quitter Berlin avec l'un de ses frères pour se rendre à Prague. Arrivée là-bas, c'est chez l'actrice Auguste Brede, la maîtresse du général Bentheim, l'ancien supérieur de Varnhagen, qu'elle sera hébergée : de plus en plus, on la traite comme l'épouse du jeune officier. La ville est pleine de gens venus de l'extérieur. La vie s'y déroule normalement. Tieck, qui s'y trouve et rend de fréquentes visites à Rahel, parle de la qualité du théâtre local. Le compositeur Weber est son voisin. Gentz lui aussi est à Prague, mais devenu un personnage important, oublieux des étranges déclarations d'amour qu'il lui envoya naguère, il évite de rencontrer la Juive. Il ne peut cependant empêcher que l'intimité ne renaisse entre eux à chaque rencontre.

« J'ai vu Gentz à deux reprises. C'est cela qui est la mort : le changement est tel que même les souvenirs ne survivront pas. Toutes les caractéristiques sont là, comme après la mort, seul le mélange diffère. Brouillé jusque dans le souvenir. La mort est sûrement ainsi. Ne va pas croire que ce terrible incident ait d'autres conséquences que de me faire souffrir. Il ne m'apprend même pas quelque chose de nouveau. » En revanche, les rapports avec Bentheim sont excellents : ils partagent le même encrier, le même miroir. « En somme, conclut-elle, notre appartement est un petit bivouac. » Il est même question de la prochaine arrivée de Goethe — qui n'aura pas lieu.

La guerre, hélas, ne s'en poursuit pas moins, et si Rahel en parle peu dans ses lettres, presque constamment on sent l'inquiétude, Après les combats autour de Dresde, les blessés, tant des armées alliées que de l'armée ennemie, affluent à Prague. « Ces malheureux gisaient la semaine dernière sous la pluie, entassés dans des charrettes arrêtées à même les ruelles et les rues. Je ne l'oublierai jamais. Les dirigeants ne s'attendaient pas à un tel afflux, semblait-il, ni à rien. Comme au temps biblique, les habitants firent tout ce qu'ils pouvaient! On les pansa, on les nourrit à même la rue, dans les rez-de-chaussée des maisons. Les jeunes filles juives brillent par leurs talents. Une sage-femme fit trois cents pansements en une seule journée. Bref, l'impossible fut accompli [...] Auguste Brede, ma noble hôtesse, Mme de Ramann et moi avons fait tout notre possible, avons donné tout ce qui était dans nos moyens : nous avons fait préparer des repas, envoyer du linge, de la charpie. Les femmes de Prague ont été bonnes.

J'ai couru chez la comtesse et lui ai demandé d'intervenir auprès de ses parents, ce qu'elle m'a promis. J'ai écrit un mot dans le même sens à Caroline de Humboldt, à Léa Mendelssohn, la sœur de Bartholdy. Avant-hier, Caroline m'a fait parvenir 130 gulden. Avec cet argent j'ai acheté des chemises, des chaussettes. Ma chambre est devenue un petit bureau. Les femmes de mon entourage m'aident comme des anges, je dispose de nombre de gens de toutes les classes. Tu sais comme il m'est doux d'établir des rapports avec autrui... Dieu m'a donc souri : il m'est possible d'aider quelque peu. »

Cette lettre, que de femmes auraient pu l'écrire! Se sentir enfin mêlée aux événements de son époque, pouvoir agir enfin, fut une révélation que les guerres — ce mal absolu pourtant — ont permis aux femmes de ma génération, exclues de toute vie publique. Une fois encore, je n'ai qu'à me pencher vers mon passé pour comprendre — ou croire comprendre — Rahel. La petite fille de luxe que j'ai été, de quel secours lui furent les exigences posées par le conflit 14-18. Nous avons pu entrer dans la vie active, nous les exclues, accomplir en quatre ans des progrès que les siècles nous refusaient.

De tout cela Rahel eut le pressentiment : dans une de ses lettres, elle envisagea une organisation qu'une autre femme, un peu plus tard — Florence Nightingale — parviendra à mettre sur pied : la Croix-Rouge. « J'ai dans le cœur, prophétise en quelque sorte Rahel, une sorte de plan : faire appel à toutes les femmes d'Europe pour qu'elles ne participent jamais à la guerre et que d'un commun accord elles viennent en aide à tous ceux qui souffrent. »

Un beau jour, après tant d'émotions et d'efforts, quand Rahel retourna chez elle, c'est-à-dire chez Auguste Brede, ce fut pour y voir arriver un pauvre hère affublé d'un sarrau de paysan en loques, porteur d'un quignon de pain militaire enveloppé dans un mouchoir, un bras en écharpe : Marwitz. Prisonnier, atteint de sept blessures, il est cependant parvenu à s'échapper de captivité. Bref, comme l'écrit Rahel à Varnhagen : « Il vit. » Il ne vivra plus longtemps. Six mois plus tard, à peine guéri, il rejoindra l'armée. La lettre qui apprendra à Rahel la mort du jeune homme débutait de telle façon qu'elle pût croire que c'était de Varnhagen qu'il s'agissait. Eperdue, elle poussa un hurlement et sans poursuivre sa lecture sortit de sa chambre en criant : « Non, non, je ne veux pas savoir. » « Il ne s'agit que de Marwitz », lui dit, après avoir parcouru la missive, son hôtesse qui venait d'accourir. « Que de Marwitz! écrira Rahel à Varnhagen. Sens-tu la désolation, la misère de cela... Et cependant j'étais heureuse. Oh, quelle horreur... Je suis plus que je ne pensais, plus que tu ne crois ta Rahel. »

Trois jours plus tard, elle adressa une autre lettre à Varnhagen. « Je ne parviens pas à t'écrire, mon très cher ami. Le bonheur que tu sois en vie contient trop de bonheur pour qu'il me soit possible de l'enserrer dans des mots, dans des formules. » Puis, pensant à Marwitz : « Il ne verra plus rien, plus rien, n'entendra plus rien, disparu. Muet, sourd pour nous. On ne peut rien dire. Tu vis; je dois être contente. Oh, que cette étreinte me soit rendue amère! Mon cher ami, il faudra que notre vie durant il vive à nos côtés... »

Napoléon parti pour l'île d'Elbe, Varnhagen qui se trouvait à Paris assista à l'entrée de Louis XVIII dans sa bonne ville. L'accueil qu'on fit au roi fut loin d'être triomphal et ne présageait rien de bon pour l'avenir. « Certes, écrit le " cher Auguste ", tout le long du parcours, des cris de " Vive le roi! » se sont élevés mais dépourvus de cette surabondance de joie qui témoigne de la participation d'un peuple. Un bataillon de grenadiers de la vieille garde impériale suscita l'enthousiasme et les cris « Vive la vieille garde! ». D'autres cris faisaient vivre la garde nationale, mais s'y mêlaient des « Vive l'empereur! »... Le roi n'avait pas l'air très aimable, semblait fatigué... Voici donc vraiment les Bourbons de retour : resteront-ils? C'est la question... Les émigrés persévéreront-ils dans leurs bonnes intentions? Je ne le crois pas; l'actuelle couvée ressemble par trop à la précédente dont la présomption et l'insolence firent monter à son maximum la rage la plus amère des esprits les plus modérés. »

Varnhagen, on le voit, ne manquait pas de lucidité. Il ne manquait pas non plus aussi totalement de sens pratique que le pensait Rahel. Malgré son absence de qualité militaire, il avait su se faire bien voir par Tettenborn, susciter l'intérêt de Hardenberg. Après lui avoir fait tenir pendant quelque temps le rôle de secrétaire, le général lui demanda de rédiger des sortes de chroniques, tâche dont Varnhagen s'acquitta si bien qu'elle devint la sienne. Rahel, à qui il envoya ses papiers, les trouva des plus satisfaisants. Pas à pas, son futur époux préparait une carrière de chroniqueur, de mémorialiste. Un peu plus tard, par l'entremise de Stein, il obtint un poste de deuxième secrétaire de légation auprès du congrès de Vienne.

En septembre 1814, après six ans de fiançailles passées le plus souvent loin l'un de l'autre, Rahel et Varnhagen purent enfin s'unir officiellement. Au matin de leur mariage, Rahel se fit baptiser : sans ce sacrement, elle n'eût pu épouser Varnhagen, l'Eglise s'y serait, à l'époque, refusée. Le fait est donc là : elle se convertit pour une fin précise. Malgré tout ce qu'elle avait dit à propos du judaïsme et contre lui, elle ne s'était pas décidée à l'abandonner et cela bien qu'elle n'eût plus à redouter le chagrin de ses parents.

Pourtant les exemples de conversion ne manquaient pas autour d'elle. Quelques années plus tôt, ses frères s'étaient fait baptiser puis avaient adopté le patronyme de Robert qu'elle partagea avec eux. Certains affirmaient que sous peu, cinquante pour cent de la population juive serait chrétienne. D'ailleurs, parmi les chrétiens aussi, les changements de religion se faisaient nombreux.

Le pasteur auquel elle s'était adressée, écrit-elle, se comporta comme s'il s'agissait de Spinoza voulant se convertir : écrasé « par l'honneur ». Elle joua avec conviction son rôle de future épouse, acheta un modeste trousseau. « Je ne suis pas très exigeante, mais à Vienne les choses indispensables coûtent les yeux de la tête. »

Au baptême, Rahel adopta le nom de Frédérique. Déjà, suivant l'exemple de son frère, elle se faisait nommer Robert en lieu et place de Levin. Quant à Varnhagen, ayant retrouvé dans ses papiers ancestraux un titre nobiliaire, il devint avec le plein accord de Rahel, M. Varnhagen d'Ense.

C'est à Vienne, la Vienne du Congrès où se trouvaient six chefs d'Etat que commença officiellement la vie conjugale de Rahel : elle s'y rendit en tant qu'épouse d'un second secrétaire de légation. Ce dernier semble surtout avoir été sensible au côté frivole de cette réunion d'hommes qui devaient décider de l'avenir de l'Europe. D'autres que lui, d'ailleurs, réagirent de même, ainsi le prince de Ligne, que Rahel avait, en d'autre temps, reçu chez elle. C'est lui qui constata que « le Congrès dansait mais ne marchait pas ». Il marchait si peu que les Cent-Jours le trouvèrent piétinant sur place. Quant à Rahel, elle écrivit : « Maintenant je sais ce qu'est un Congrès, c'est une réunion de gens qui s'amusent si bien qu'ils ne peuvent plus se séparer. » Napoléon à qui on avait un jour demandé ce que le monde dirait s'il apprenait sa mort avait répondu : « Ils diront ouf ». Les hommes réunis à Vienne faisaient « ouf » au son des valses, au milieu des intrigues politiques et sentimentales, des bavardages et des rires.

Rahel, elle, connut là ce qu'un siècle plus tard Proust décrit dans *A la Recherche du temps perdu* : le « revoir » avec des hommes et des femmes que les années et les événements avaient éloignés d'elle. Ils étaient nombreux les anciens fidèles de la Mansarde à se retrouver et tout d'abord Gentz, bras droit de Metternich, aimable à nouveau avec une Rahel pourvue d'un époux. Mais avant de quitter Prague n'avait-il pas demandé à son amie de ne pas lui en vouloir de son comportement?

Rahel lui avait alors répondu : « Cher malin, vous savez par vous-même qu'on ne peut pardonner, qu'on est contraint de continuer d'aimer quand on a pu aimer. » Frédéric Schlegel résidait là, lui aussi, avec sa femme, l'ex-juive Mendelssohn qui, déjà convertie au protestantisme, avait gaillardement suivi son époux dans sa conversion à un catholicisme frénétique. Ce qui en soi n'avait rien d'étonnant. Mais Frédéric ne s'était pas seulement converti religieusement, il s'était aussi converti dans son comportement et son aspect; il avait abandonné l'ironie et le libertinage pour le sérieux, il avait épaissi, il aspirait à un poste de fonctionnaire. « *Sic transit* une certaine jeunesse et un certain romantisme. » Du romantisme, le poète et auteur dramatique Zacharias Werner en possédait à revendre. Il était passé de la littérature — comme Varnhagen, c'était un ancien du cercle de l'Etoile Polaire — à la religion. Après un séjour dans la franc-maçonnerie et trois mariages dont l'un avec une femme dont il ignorait la langue comme elle ignorait la sienne, il s'était converti au catholicisme. Comme il ne faisait pas les choses à demi, il s'était fait ordonner prêtre. Du haut d'une chaire, il s'exprimait en discours délirants qui amusaient les Viennois.

C'est à Vienne aussi que Rahel fit la connaissance de Mme de Custine, ex-maîtresse de Chateaubriand, qui voyageait alors avec son amant, l'étrange Koreff, magnétiseur. Comme Zacharias Werner, le dramaturge, se trouvait là lui aussi, Mme de Custine qui décidément avait le goût des originaux, se lia d'amitié avec lui. Par son fils, qui devint un des plus fidèles correspondants des Varnhagen, nous avons quelques traits concernant cet ancien pécheur entré dans les ordres, sans pour autant abandonner son goût de l'excentricité.

A Vienne, Rahel retrouva une ancienne connaissance berlinoise, Fanny von Arnstein, mariée à un banquier autrichien anobli mais resté juif tout comme son épouse. Le salon que tenait cette dernière était le centre de la vie mondaine locale. Mais les succès — y compris les succès amoureux — remportés dans la capitale autrichienne n'avaient pu atténuer en elle la nostalgie de sa ville natale qu'elle parait de tous les attraits. Son patriotisme s'était, bien entendu, exaspéré au cours de la guerre, les discours haineux envers la France qu'elle tint devant Rahel ne facilitèrent guère les rapports entre les deux femmes. Il arriva même que Rahel prît avec énergie au cours d'une visite la défense du pays qui, un des premiers, avait reconnu des hommes dans les Juifs.

Soudain tout changea. Napoléon quitta l'île d'Elbe, débarqua en France dans l'enthousiasme populaire. Continuer de faire semblant de préparer la paix devenait difficile. L'époux de Rahel partit pour Paris, elle-même pour Francfort avec un certain nombre de ceux qui étaient rassemblés à Vienne.

Les lettres de Varnhagen sont riches en précisions sur l'état d'esprit français de l'époque. « Plus personne, écrit-il de Saint-Michel, ne croit que les Bourbons pourront continuer de régner en France. » Et il rapporte les mots que lui a lancés une femme du peuple : « Monsieur, à présent vous reviendrez tous les ans à Paris pour y faire rentrer les Bourbons! » Sur quoi une autre a crié : « Vous ne voulez pas de Napoléon, eh bien! nous, nous ne voulons pas des Bourbons. Qu'on les mette donc à la porte tous les deux! Nous ne sommes pas faits en France pour être gouvernés par des prêtres; d'abord nous ne sommes pas catholiques. » « Ce qui est d'autant plus beau qu'ils sont tous catholiques », ajoute Varnhagen. Une troisième femme intervint : « Qu'est-ce que ce roi goutteux? Il dit dans sa proclamation qu'il accourt : vite, une chaise de poste à six chevaux et le voilà à Paris! Il nous faut un roi bambocheur, un roi qui sait nous mener à la guerre; non, nous en avons assez! »

« Voilà l'état d'esprit général », ajoute Varnhagen.

Dans une autre lettre, datée du 3 octobre, il écrit : « Les princes et ministres étrangers quittent Paris quelque peu atteints par l'obscurantisme bourbonien et aristocratique; ils s'imaginent que tout ce qui, depuis vingt-cinq ans, a pénétré en tant que nouveauté dans ce monde va se laisser rejeter ou peut-être, grâce à des mesures sévères, être maintenu dans d'étroites limites. Gentz a rédigé des mémoires sur ce sujet et signalé le danger du jacobinisme armé. Les princes gouvernants se sont rencontrés pour discuter du sujet (la chrétienté a fort honorablement figuré dans le cénacle). Rassurés, comme s'ils s'étaient enfin débarrassés de tout souci, ils ne se préoccupent plus de constitutions et veulent jouir joyeusement, tranquillement, d'une paix complète. Mais voici que l'Espagne n'a plus de roi, ni de gouvernement et convoque les Cortès en vue de nouvelles discussions!

« Ils ne s'attendaient pas à cela, eux à qui l'exemple espagnol semblait le meilleur exemple quant à la façon d'étouffer une révolution, d'opérer le retour vers ce qui fut. A présent que la preuve est faite, ils sont effondrés comme des enfants et vont peut-être, quelque temps encore, nier l'évidence.

» Mais je ne me fais pas de soucis! La détresse la plus urgente est surmontée, je veux dire la française. De ces tempêtes émane à travers toute l'Europe un irrésistible souffle de liberté constitutionnelle. Certes, il n'est point plaisant de se trouver en une époque d'aussi violents orages, mais qu'y pouvons-nous, ne faut-il pas que nous fassions avancer l'histoire et accomplissions la tâche qui, à un moment précis, nous est destinée dans son œuvre? »

Comme on le voit, l'homme était lucide. Ajoutons cette phrase qui ne manque pas d'humour : « Ils disent tous ici de Marie-Louise, qu'elle pense bien. »

Rahel de son côté, elle aussi, réfléchit à l'histoire, c'est évidemment le moment. Mais elle, elle y réfléchit, si je peux dire, sous l'angle goethéen. « Goethe, écrit-elle à son époux, a décrit (dans l'un des volumes qu'elle vient de lire ou de relire) le processus du Congrès de Vienne [...]. Pour moi, étant donné le lieu et l'époque où je le lis, ce livre m'a fait réfléchir. Je ne vois dans tout ce que les hommes sont à même de préparer qu'une seule chose : peu d'entreprises réussissent dans la nature et se forment selon ses véritables désirs. Il en va de même dans la nature humaine. »

Parfois, souvent même, les sujets traités par Rahel et Varnhagen sont moins sérieux, ou quand ils sont graves, ils le sont d'une autre façon; ainsi quand Rahel, par hasard et par désir, passe un long moment avec Goethe.

Abordons d'abord ce qui fut frivole. A Paris Varnhagen retrouve Pauline Wiesel, l'amie de cœur de Rahel. En vérité, cette créature vénale, frivole, qui s'acceptait entièrement, avait de grands points communs avec celui qui fut quelque temps son amant et longtemps son camarade, Gentz. Elle était séduisante; Gentz aussi. A ce genre de séduction, Rahel semble avoir été particulièrement sensible, peut-être parce qu'elle savait que c'était là une particularité qui lui faisait défaut. Quoi qu'il en soit, pour Pauline et pour Gentz elle avait toutes les indulgences. Varnhagen en avait moins. S'il vit Pauline, pauvre alors, et, selon lui, vieillie, durant son séjour à Paris, ce fut pour faire plaisir à Rahel. Aussi fut-il quelque peu indigné quand l'aimable personne, étendue sur son lit, lui fit des avances précises. Le « vertueux Joseph », comme le qualifia Pauline, informa son épouse de l'incident, sans d'ailleurs, reconnaissons-le, y attacher d'importance. Rahel, pour sa part, en attacha moins encore : « Ce que tu m'as écrit au sujet de Pauline, je le savais d'avance. Je savais qu'elle voudrait goûter au mari de Rahel — comme à un punch au rhum. »

Trop fatiguée pour se rendre à Paris, Rahel s'était arrêtée à Francfort. C'est là qu'eut enfin lieu l'événement qu'à la fois elle redoutait et désirait de tout son être : la rencontre avec le « maître suréminent », Goethe, celui grâce à qui elle vient de découvrir que « l'histoire se construit d'elle-même », que « c'est le développement intellectuel et moral des peuples qui constitue leur histoire. » Elle vient de l'écrire à Varnhagen.

Déjà, en lui-même, le voyage pour se rendre à Francfort l'a exaltée. « Seule vit pour moi l'Allemagne. Cette Allemagne que je viens de voir! *Nous* (je pense qu'il s'agit des Prussiens. Toujours est-il que le mot est en italique) sommes de pauvres et sauvages Wende, de malheureux Slaves. Les Wurtembourgeois sont des Allemands. Joyeux parce qu'ils sont aimables et parce que leur terre est bénie et non pas par légèreté et par ardeur du sang comme il en va chez les peuples latins, ceux que Mme de Staël désigne ainsi. » On le voit, même chez une femme qui a l'esprit critique, certaines idées font de curieux ravages. Mais revenons à Goethe.

Quand elle apprend que Goethe se trouve dans la même ville qu'elle, elle pense que « Dieu lui veut, quand même, du bien ». Le lendemain, elle visite avec des amis, le village de Niederrad dont Goethe a parlé et voilà que passe devant elle une calèche dans laquelle se trouve son idole. « Très vite, de toutes mes forces, je hurle : Voici Goethe! Goethe rit, ses compagnes aussi. Moi, je m'empare des Valentin (les amis qui l'accompagnaient dans sa promenade) et nous courons jusqu'à dépasser la voiture. Puis nous faisons volte-face et l'apercevons une nouvelle fois : il sourit aimablement... Goethe, lui aussi, faisait aujourd'hui un pèlerinage dans sa jeunesse. »

Le lendemain matin, sans même s'annoncer, Goethe se rend chez elle. A peine est-il parti qu'elle écrit à Varnhagen.

Vendredi 3 heures

« Voilà qui vaut une lettre. Et même toi, tu vas te réjouir de ce que je me sois encore trouvée ici. Goethe est venu chez moi ce matin à 10 heures! Voilà mon certificat de noblesse! Mais moi je me suis conduite aussi mal que peut le faire celui que son vaillant, son sage suzerain, vient de consacrer chevalier devant le monde entier.

» J'étais justement en train de me brosser les dents, vêtue de ma flanelle, quand mon propriétaire est arrivé pour dire à Dore qu'un monsieur voulait me parler. Je pensais qu'il s'agissait d'un messager envoyé par Goethe. (Jamais encore mon propriétaire n'était entré dans ma chambre et jamais dans cet état.) Je fais demander de qui il s'agit et envoie Dore. Celle-ci revient avec une carte de visite de Goethe et me dit que Goethe est disposé à attendre un peu. Je donne l'ordre de le laisser entrer dans la maison et ne le fais attendre que le temps nécessaire pour boutonner un vêtement, en l'occurrence un peignoir noir ouatiné. Je me suis sacrifiée, moi, pour ne pas qu'il attende, fût-ce un instant. Je n'avais en tête que cette seule idée. Et je ne me suis même pas excusée, je l'ai seulement remercié.

— Je vous remercie, lui ai-je dit, pensant qu'il saurait de quoi je le remerciais, de ce qu'il était venu, que moi je disparaissais totalement et que lui seul était à prendre en considération. C'est cela — hélas — qui fut le premier mouvement de mon cœur. A présent, avec un immense remords, un remords comique, torturant, je pense autrement! »

Sur quoi ils échangèrent, pendant un court moment, des banalités, parlèrent d'un paquet que Varnhagen avait fait parvenir à Goethe, de la difficulté de disposer de son temps comme on l'entendait et, fort superficiellement, du congrès.

La lettre s'achève ainsi :

« [...] Et maintenant vois quelle folle je suis! Dès qu'il fut parti, j'ai passé mes plus beaux vêtements comme pour rattraper ma sottise. J'ai mis ma robe du soir blanche à col haut, mon bonnet de fine dentelle, mon voile brodé et jeté sur mes épaules mon châle moscovite. Puis j'ai écrit quelques mots à une amie, pour que quelqu'un au moins, sur cette terre, me voie belle et parée... Pour en finir je ne peux que répéter la phrase que m'a dite un jour le prince Louis-Ferdinand : « A dater d'aujourd'hui je vaux 10 000 thalers de plus, entre frères. Goethe est venu chez moi. " »

Rahel revit Goethe une troisième fois, mais alors en compagnie de son époux. Le maître les retint tous deux à déjeuner; même ce geste de relative intimité ne lui permit pas de vaincre sa timidité admirative. Le seul moment de contact réel entre le disciple et son Seigneur fut celui où, ému, celui-ci fit don à Rahel de la plume d'oie avec laquelle, le matin même, il venait d'écrire.

La carrière diplomatique de Varnhagen fut de courte durée, guère plus de deux années. Elle se déroula à Karlsruhe, capitale du grand-duché de Bade, en qualité de secrétaire de légation chargé d'affaires, aux appointements de 3 000 thalers, somme fort honnête pour l'époque. Mais l'endroit, était plein de chausse-trapes, la cour d'une effondrante mesquinerie, sorte de grand-duché de Gérolstein où une jeune duchesse alliée de Bonaparte se disputait avec son époux gâteux avant l'âge et sa belle-mère, la grande-duchesse, mère fière d'avoir — comme le fera la reine Victoria plus tard — réparti ses filles dans tous les lits royaux de l'époque.

Le refuge pour Rahel et son époux fut Baden-Baden, toute proche. Là ils rejoignaient le général Tettenborn, récemment marié, quelques

Français peu conformistes, grands lecteurs des journaux hostiles à la réaction.

Il fallut peu de temps pour que le couple se fasse mal voir des autorités locales. Varnhagen justifia d'ailleurs leur hostilité en écrivant dans des feuilles d'opposition. Un moment la situation sembla s'améliorer : le grand-duc mourut. Son successeur eut quelques gestes qui permirent de croire que le grand-duché allait faire certains progrès. Il fut même question d'une constitution, les Chambres furent convoquées, le peuple délira de joie. Rahel aussi. « Cela a été comme un baume sur mon cœur, qui depuis longtemps, sans même que je le susse, étouffait sous le poids des ténèbres et de la tyrannie... J'ai vécu enfin une grande et commune espérance, comme j'ai vécu naguère la grande et commune détresse, la guerre, l'invasion, l'oppression, la terreur, la misère. »

Aucune promesse ne fut tenue, sinon de façon à en rendre la réalisation inefficace.

Pendant ce temps, dans le monde des étudiants surtout, l'irritation grandissait. Elle aboutit à l'assassinat, par un étudiant précisément, de Kotzbue, écrivain médiocre, espion au service de la Russie. Ce geste permit aux dirigeants de prendre les mesures les plus infâmes, entre autres contre les Juifs.

Varnhagen, mis en disponibilité, garda son titre et son traitement — ce qui le mettait à l'abri du souci. Tout compte fait c'était là une bonne solution. Et de retourner à Berlin puis de s'installer dans la *Französische Strasse,* pas trop loin de la Mansarde de naguère.

Berlin avait changé d'aspect, de rôle. Le salon de Rahel ne pouvait ressusciter tel qu'il avait été autrefois. Trop de ses fidèles étaient morts. Le prince Louis-Ferdinand, Kleist, Fichte. Trop d'amis étaient au loin. « A chaque coin de rue où habitait naguère l'un de nous, je me heurte à des inconnus... Il y a pourtant beaucoup de gens intelligents ici, et comme une survivance de cet ancien esprit de conversation, qui a été unique en Allemagne; mais je ne reconnais plus ma société », écrit-elle. C'est que les relations humaines souffraient du repliement né d'une réaction qui faisait largement usage de la délation, de la censure, de la répression sous toutes ses formes. Ce qui avait été conquis semblait définitivement perdu.

Vers 1800 si l'Allemagne n'avait pas réalisé une révolution sociale elle avait accompli une révolution dans les mœurs. En 1815, plus rien n'en subsistait, l'admirable liberté dans le choix des partenaires amoureux qu'avait connue la Prusse fit place au rigorisme. Dorothée n'aurait plus pu quitter son époux pour tomber dans les bras de Frédéric Schlegel, Caroline se séparer de Karl August Schlegel pour rejoindre Schelling. Plus question d'expériences préconjugales, d'enfants nés hors du mariage. La vertu triomphait comme sur les chromos. Les femmes devaient rejoindre la cuisine, se rendre à l'église, élever leurs enfants...

Encore une fois je vais intervenir. Dois-je m'en excuser ? Ceux qui me lisent savent déjà que je vais comparer cette époque à la nôtre, dire qu'aucune conquête n'est sûre, qu'au coin de la rue, la reine Victoria nous guette. Mais revenons au passé, à cette curieuse époque où une femme pouvait déclarer : « J'attends un nouvel enfant et je compte bien en mettre d'autres encore sur cette terre; j'espère que Dieu me fera la grâce, comme pour les précédents, de les concevoir sans plaisir. » Comment ne pas regretter devant tant de prétentieuse sottise le temps où Caroline Schlegel, Mme Satan, disaient d'elle certains — mariée, enceinte, etc. — et néanmoins fiancée à Schelling qu'elle épousa par la suite, écrivait à Rahel : « Comme il me tarde que cette incommodité physique prenne fin. »

La pruderie à la mode irritait fort Rahel. « Il nous faudrait des critiques alarmistes qui viendraient avec de nouvelles *Lucinde,* de nouveaux *Athenœum,* avec quelques bons gros scandales, ranimer le bourbier croupissant de notre morale », disait-elle.

Varnhagen et Rahel commencèrent en commun une vie de société. Encore une fois le salon ne fut pas ce qu'il était, malgré la présence, parfois, de Schlegel, de Humboldt, de Schleiermacher, de Chamisso. Dans les rapports humains, Rahel n'était plus une femme seule mais la compagne d'un homme. Quoi qu'on en ait dit, Varnhagen

« existait ». L'époque d'ailleurs se prêtait mieux aux préoccupations de ce dernier qu'à celles de sa compagne. Il fallait sinon « changer de disque », du moins le modifier. Qu'en pensa Rahel? Discrète à ce sujet elle se contenta de constater que les temps anciens n'étaient plus. Peut-être n'osa-t-elle pas aller jusqu'à se dire à elle-même que les rapports avec les autres se modifient quand on a un témoin permanent à ses côtés. Peut-être même souffrit-elle de voir que certains de ses amis, comme l'explorateur Alexandre de Humboldt, de retour de ses voyages en Amérique du Sud, s'il se rendait dans son salon, le faisait davantage pour son époux que pour elle. Toujours est-il qu'une lettre adressée en 1817 à Wilhelm von Willisen le ferait croire. « Eh bien! c'est encore une chance que je sois une épouse. Sans quoi il est vraisemblable que vous ne m'auriez même pas fait transmettre une salutation. »

De ce salon comme du précédent, nous avons une description, elle aussi faite par un visiteur français :

« La décoration était des plus simples : aucun luxe, rien de voyant. Aux murs, quelques portraits de petite dimension, et deux bustes, dont l'un représentait le prince Louis-Ferdinand, l'autre Schleiermacher, posés parmi des vases à fleurs. En fait de mobilier, le strict nécessaire. Et pourtant il se dégageait de l'ensemble une impression d'élégance, ou plutôt la disposition était si ingénieuse, si heureusement combinée, qu'on recevait cette sensation de confort que le luxe le plus raffiné, par les moyens les plus somptueux, ne réussit pas toujours à donner. Sur le piano reposaient quelques livres qu'involontairement je me mis à feuilleter : un volume de Saint-Martin (le nom était rajouté à la plume), les poésies d'Uhland, un roman français et un traité politique de Fichte voisinaient pacifiquement... »

Peu à peu, Varnhagen avait atteint une certaine réputation de journaliste : revues, quotidiens et hebdomadaires lui demandaient des articles. Ses portraits aigus, parfois méchants, de contemporains parurent en volumes qui connurent le succès; il était devenu un écrivain.

Pourtant Varnhagen, devant sa femme, restait l'admiration même. L'a-t-on assez ridiculisé, debout derrière le siège de Rahel découpant avec minutie ces « silhouettes » chères à l'époque, notant ses moindres mots? Mais Mme Van Riesselberg n'a-t-elle pas fait de même, sans que pour autant on la trouvât ridicule? Et pourtant ce qu'elle notait concernant Gide, avec tant d'amour mêlé à tant de soin, était souvent de bien moins d'intérêt que ce que notait le trop admiratif époux : entre autres, port de mitaines dès les premiers froids. Oui, mais c'était une femme...

Je pense néanmoins que la présence de Varnhagen rendit les rapports que Rahel entretenait avec autrui différents de ce qu'ils avaient été quand elle recevait seule. Plus de complicités ambiguës comme il en existait avec Louis-Ferdinand, avec Gentz, avec Marwitz. Mais sans doute fut-elle plus heureuse ainsi et le savait-elle.

La maison Varnhagen devenait accueillante dès la fin de la matinée. Souvent Rahel retenait ses visiteurs matinaux pour le repas de mi-journée qui avait lieu assez tard. Notons en passant qu'à l'époque, elle attachait un grand prix à la qualité des repas. D'autres hôtes venaient en fin d'après-midi, d'autres plus nombreux encore le soir, après le théâtre, dont les représentations en Allemagne se déroulent sensiblement plus tôt qu'en France. Rahel a toujours eu le goût du théâtre, elle connaissait la technique des acteurs, comptait des amis parmi eux. Elle était aussi une passionnée de concerts. Mais d'année en année sa santé devenait plus précaire. D'après ses propres descriptions et celles des témoins, il semble qu'elle souffrît de rhumatismes aigus, de crises d'asthme aussi, maladie dont on sait aujourd'hui qu'elle est avant tout une maladie nerveuse. Dans ces conditions, tout l'épuisait. Jusqu'au bout cependant elle tint bon car — elle le reconnut dans une de ses lettres — la vie telle qu'elle s'offrait à elle dans cette époque de mutation la passionnait : « Notre vie est si courte : me voici toute vieille, et j'aimerais tant être encore de la fête. »

Hegel, à plusieurs reprises, se rendit chez Rahel, mais le contact avec la pensée du philosophe, ce fut le jeune Gans, élève du maître, qui l'établit. D'origine juive, Gans à l'âge de vingt-cinq ans avait déjà été titularisé professeur à l'université de Berlin; il osa afficher son libéralisme ce qui lui valut le plus grand succès parmi ses élèves mais aboutit à ce qu'on lui retire son poste. Il continua alors ses cours hors de l'université. Bien que dans ces conditions ils fussent payants, les étudiants s'y précipitaient. Auparavant déjà, Varnhagen s'était intéressé au jeune homme qui venait de publier son étude sur « Le rôle des lois de succession dans le développement historique ». Gans était un fervent admirateur de Hegel; peut-être ce qu'il dit à Rahel sur la dialectique n'était-il pas tout à fait du domaine de cette dernière qui pourtant en sentit l'importance. C'est dans son salon d'ailleurs qu'autour de Hegel, précisément, Heine et Gans eurent de violentes discussions. Gans était un passionné que tout ou presque, intéressait; chez l'un ou chez l'autre de ses hôtes — il voyait beaucoup de monde — il s'exprimait avec violence à propos de littérature, de théâtre, de politique surtout.

Heine qui vint chez Rahel à vingt-quatre ans, était moins violent mais tout aussi combatif, et surtout plus vulnérable. Ses rapports avec Rahel furent loin d'être toujours faciles. Devant un génie qu'elle pressentait, cette dernière se sentit des responsabilités. Elle lui assena presque autant de « vérités » que naguère à Varnhagen. Aux yeux de Rahel il possédait quelques-uns des défauts qu'elle aimait, ce qui la rendait à la fois exigeante et indulgente envers lui. Leurs accrochages eurent parfois des raisons valables, d'autres fois des causes presque incompréhensibles pour nous, aujourd'hui, comme lorsque Rahel prit en mauvaise part le fait qu'une partie du *Buch der Lieder* lui fût dédiée sans qu'elle en ait été auparavant avertie. D'autres fois, c'était le culte de Goethe pratiqué par son hôtesse qui irritait Heine, représentant d'une génération plus jeune — celle qui s'éloignerait du romantisme, deviendrait « la Jeune Allemagne » en prise directe avec les événements sociaux et historiques de l'époque.

Mais le plus souvent, ses admonestations visaient juste quand, par exemple, elle conseillait à Heine de se concentrer davantage sur ce qui était essentiel pour lui. « Je veux que Heine devienne lui-même », écrivit-elle à Varnhagen. « Je ne veux pas que vous deveniez un Brentano », lui disait-elle. Il ne le devint pas, il devint Henri Heine, un des plus grands écrivains allemands, et ce grand écrivain reconnut tout ce qu'il devait à sa petite coreligionnaire, alors femme vieillissante et selon Humboldt « devenue affreusement laide ». « Je cours à travers le monde, dit un jour Heine, comme un chien perdu. Parfois arrivent des êtres qui voudraient me passer une laisse. Mais en général ces maîtres ne me conviennent guère. Tant que les choses en resteront là, je porterai un collier sur lequel seront gravés ces mots : " J'appartiens à Mme de Varnhagen ". » « Je n'ai même pas besoin d'écrire à Mme de Varnhagen, elle sait tout ce que je pourrais lui dire, elle sait ce que je sens, ce que je pense, ce que je ne pense pas », dit-il une autre fois. Et au moment de quitter Berlin : « Me voici sur mon départ et je vous en supplie, ne jetez pas mon image une fois pour toutes aux orties. »

Gans eut, entre autres mérites, celui de conduire chez Rahel l'écrivain français Victor Cousin. Cette visite eut quelque importance dans la vie du philosophe, puisqu'elle l'amena à resserrer les liens culturels entre la France et l'Allemagne.

Mais déjà Gans avait attiré l'attention de Rahel sur les socialistes, les utopistes français, sur Saint-Simon qui l'enthousiasma. « Je suis, disait-elle, la plus absolue saint-simonienne. Ma foi tout entière consiste dans la conviction que j'ai des possibilités de progrès de l'univers, de sa perfectibilité, de sa marche vers plus de compréhension et de bien-être au sens le plus haut de ce mot : bonheur et préparation au bonheur. » A un autre moment elle écrit : « Le saint-simonisme agit et sème et met en évidence d'irréfutables vérités; il a situé dans l'ordre qui leur convient les vraies questions, a trouvé réponse à nombre d'entre elles. » Plus loin : « La terre doit être embellie. Liberté doit être donnée à tout développement humain. » Ou encore : « Jusqu'à présent un certain nombre d'hommes vivaient, les autres devaient produire. Dorénavant il faut que tout le monde vive, l'accord sur ce point est unanime; cela dit on ne peut plus arrêter le cours des choses. »

Sa réflexion était de nature absolument actuelle. Ainsi quand elle constatait que « les peuples du passé » avaient placé des colonnes comme limites à leur monde; des cavernes figuraient à leurs yeux l'enfer, des îles riantes et de belles montagnes formaient l'horizon de leur Olympe. Ils qualifiaient les autres peuples de barbares et les réduisaient en esclavage. Mais aujourd'hui que la terre entière est explorée, que le compas, le télescope, l'imprimerie, les droits de l'homme et Dieu sait quoi encore, ont été inventés, qu'en quinze jours une nouvelle parcourt le monde mais que subsistent toujours les besoins essentiels de nourriture et de procréation, tandis que s'élargit sans cesse le cercle des ambitions, comment de vieilles inventions morales pourraient-elles tenir?

Chez Angelus Silesius, chez Saint-Martin, qu'elle venait de découvrir, elle trouvait des promesses de bonheur céleste qui complétaient sa propre recherche du bonheur terrestre. Ses convictions mystiques ne s'opposaient pas à ses convictions sociales. « Eh quoi, il faudrait être malheureux ici-bas pour être bienheureux au ciel! »

Rahel suivait avec la plus grande attention la politique française. *Le Globe* constituait pour elle une lecture quotidienne ainsi que celle de deux ou trois autres journaux français. L'Europe, à l'époque, oscillait entre la recherche d'un passé mythique compensateur de défaites réelles et les problèmes sociaux rendus plus aigus par les débuts de l'industrialisation ainsi que les aspirations nationalistes que l'Allemagne avait exaltées à travers le romantisme. La France prenait plus fortement conscience que sa voisine de ce qu'impliquait la situation nouvelle née des découvertes technologiques récentes.

Rahel qui avait toujours été une créature

d'espoir, ne pouvait admettre que « la grande lueur » qui s'était élevée à l'Occident ne puisse se rallumer. Qu'elle se rallumât une fois encore en France lui sembla naturel : le même mouvement qui lui avait fait comprendre la montée nationaliste en Prusse lui fit comprendre les journées de juillet. Son salon fut alors peuplé d'hommes et de femmes pour qui ces événements avaient un sens, devaient être à l'origine d'une vie plus humaine. Edouard Gans, visiteur quotidien, la tint au courant du déroulement des journées de 1830 en France. Elle vit avec joie Varnhagen collaborer au *Journal d'histoire et de politique,* dans lequel on osait affirmer : « Le salut est lié à la révolution ».

Heine, plus inséré que Rahel dans la vie quotidienne, avait plus durement, plus concrètement qu'elle, souffert de l'antisémitisme. Pendant les guerres de libération, tout avait été fait pour donner à croire aux Juifs que celui-ci avait disparu : ne leur avait-on pas « accordé » les mêmes droits qu'aux citoyens du pays? Ces droits affirmés, on avait bien entendu expédié leurs bénéficiaires aux armées. Mais l'ennemi vaincu, sans officiellement revenir sur les mesures prises, on s'arrangeait pour les rendre inefficaces, en interdisant aux Juifs, par exemple, l'accès aux fonctions publiques, fût-ce sous la forme des postes les plus humbles. D'autre part, la crise économique qui allait s'aggravant depuis la paix faisait renaître, comme il est d'usage, la haine contre les Juifs. Une fois de plus, la chrétienté leur reprocha de pratiquer les seuls métiers qu'elle leur permettait d'exercer.

Parmi les jeunes, dans les universités, l'antisémitisme prenait une forme scientifique. Les Juifs sont inassimilables, y affirmait-on; ils sont, dans la mesure où l'on est devenu indulgent envers eux, l'une des causes de la décadence de l'Allemagne. (Une fois encore le glorieux et mythique passé germanique était appelé en témoignage.) Ils constituent une maladie sociale qui se propage rapidement grâce à l'argent que leur procure le pouvoir (J. J. Fries, professeur de philosophie et de sociologie *dixit*). En 1816 déjà, des manifestations antisémites éclatent. En 1819, c'est le pogrom dans toute son horreur, avec coups et blessures, pillages de magasins, cris de toutes sortes parmi lesquels le fameux *Hep, Hep,* contraction de *Hierosolomita est perdita* (Jérusalem est perdue) d'où l'on peut conclure que le judaïsme s'incarne en Jérusalem. Evidence que certains nient aujourd'hui.

Dans son nouveau salon comme dans le précédent, Rahel mêlait des gens de milieux les plus divers. Ce n'était pas absence de discrimination, ni comme l'ont écrit certains, besoin de peupler son salon. Non, ce n'était que la preuve de son goût des créatures humaines, goût que partageait Varnhagen. Ainsi, se rencontraient chez eux des écrivains plus ou moins prestigieux, des acteurs, des hommes politiques. Un de ses hôtes nous rapporte — fidèlement semble-t-il — une de ces réceptions. Au début de la soirée l'enfant Elise, petite nièce de Rahel, qu'elle entourait d'une tendresse maternelle, se trouvait encore là. Puis il nous montre la vieille dame attentive, passant de l'un à l'autre de ses hôtes. Tout d'abord l'entretien se déroula autour d'un problème théologique litigieux à l'époque, puis il fut question de musique : une cantatrice de renom se mit au piano pour chanter des airs de Schubert. La discussion ensuite s'engagea sur la politique, risqua de devenir violente. Rahel alors fit montre d'un étonnant doigté, intervint pour empêcher, grâce à quelque saillie, que l'entretien ne dégénérât en querelle. Enfin arriva Alexandre de Humboldt. Il fallut peu de questions pour qu'il fît le récit des diverses manifestations religieuses observées au cours de ses voyages-explorations. Quand l'entretien revint à la politique française, Rahel déclara avec conviction : « La France a la république dans le corps et, tôt ou tard, elle vivra en république. » Ce disant, d'après l'auteur de notre récit, elle s'exprimait avec une fermeté qui ne lui était pas coutumière. La soirée s'acheva par une brève apparition de Bettina von Arnim, toujours semblable à elle-même dans la fantaisie effrénée.

Au goût — au besoin — qu'avait Rahel de la présence humaine vint avec l'âge s'ajouter celui de la présence enfantine. Son neveu, sa nièce, les enfants de son frère vinrent le satisfaire. Presque tous les jours on conduisait chez elle le garçonnet et la fillette auxquels la liait une véritable passion. « Je suis une mère sans enfants », disait-elle. A la vérité le contraire plutôt était vrai : elle avait des enfants sans être une mère par le corps. De ses rapports avec la jeunesse nous avons de nombreux témoignages entre autres dans ses lettres à Varnhagen : « Dans la chambre de Dore (sa "fidèle servante") les enfants jouent, déchaînés. Ils prétendent que les fleurs sont sèches. Dore affirme le contraire. La petite a voulu que je t'écrive ici. Toute joyeuse, contente! Moi aussi. "Est-ce que l'oncle voit ce que tu es en train d'écrire?" Elle dit ça du haut de l'escalier. "Absent, écrire." Tout cela est très confus pour elle. Là-haut sur l'escalier. Ils t'embrassent! Après-demain, tous les enfants viendront déjeuner chez moi pour ton anniversaire. Que Dieu te bénisse! Je t'embrasse... »

Cette passion pour les enfants servit de prétexte à Bettina von Arnim, le jour où le caprice lui vint de se rapprocher de sa seule vraie rivale en salon culturel. Bettina était l'épouse d'Arnim et la sœur de Brentano. Les rapports des Varnhagen avec ces deux hommes, nous le savons, n'avaient pas toujours été faciles. Bien que Brentano, après la leçon qu'il reçut de Varnhagen, fît semblant de s'amender, lui et son frère n'en professaient pas moins de solides sentiments antisémites. Bettina ne paraît pas les avoir partagés ou, si elle les partagea, ce fut provisoirement : jeune fille, munie d'un grand balai, elle avait même fait le ménage d'une pauvre vieille femme juive. Plus tard, elle afficha des sentiments qu'aujourd'hui on qualifierait de progressistes. Mais il était de notoriété publique que Bettina n'en faisait jamais qu'à sa tête, et cela depuis le jour de sa première rencontre avec Goethe où elle s'était, disait-elle, endormie, confiante, à ses pieds, la tête sur ses genoux jusqu'à celui où elle se fit annoncer chez une de ses amies comme « le prince Pückler Muskau », le grand amateur de jardins, ce qui fit quelque peu sensation. Entre-temps, on la trouvait, paraît-il, plus souvent accroupie sur une table que bien sagement assise dans un fauteuil. La chose admise comme étant romantique, on qualifiait Bettina d'elfe et de petit lutin.

Bref, le caprice lui vint de se rapprocher de Rahel. Les enfants lui servirent de prétexte : il lui fallait une gouvernante pour ses petits à elle. Rahel devait lui fournir des renseignements sur une personne proposée à ce titre. L'accueil ne fut pas des plus chaleureux bien qu'une commune vénération de Goethe rapprochât l'une de l'autre les deux femmes. Mais naguère, Bettina s'était plainte que Rahel eût voulu s'imposer à elle et cela après que ce fût elle qui, passant devant la maison de cette dernière, l'avait retenue à sa fenêtre pour finir par lui emprunter quelques sous : elle avait oublié sa bourse et voulait se rendre à l'église.

Après une courte hésitation, Rahel se conforma à l'usage qui était de ne pas tenir rigueur à Bettina; le temps aidant une amitié vraie finit par lier les deux femmes. Et un jour Rahel déclara : « Bettina est la femme la plus spirituelle de toutes celles que j'ai connues. » Achim von Arnim fit contre mauvaise fortune bonne mine et on le vit de temps à autre dans le salon concurrent et juif, mais ce fut surtout après la mort de son époux que Bettina devint vraiment proche de Rahel. Elle publia alors son livre de souvenirs. Comme Rahel, elle se passionna pour les journées révolutionnaires de 1830.

Si Bettina était la femme la plus spirituelle de l'époque, Rahel, elle, toute vieille qu'elle était, conservait une étonnante puissance d'attraction. Il en est pour preuve cette lettre de Grillparzer, l'auteur dramatique autrichien.

1827

« L'autre jour, Varnhagen me reconduisit chez moi. Quand nous fûmes près de la maison, il déclara qu'il souhaitait que sa femme — cette Rahel, célèbre plus tard mais dont alors j'ignorais tout — fît ma connaissance. Tout au long de la journée, je m'étais déplacé et je me sentais las à en mourir. C'est pourquoi j'étais franchement heureux quand sur le palier on nous informa que Mme Varnhagen s'était absentée. Mais voici que nous la croisâmes en descendant l'escalier et je me suis soumis au destin. Et voilà que cette femme vieillissante, qui n'a peut-être jamais été jolie, que la maladie courbait, qui a quelque chose d'une fée, pour ne pas dire d'une sorcière, se mit à parler et je me suis senti sous le charme. Ma fatigue s'envola, ou plutôt fit place à une sorte d'ivresse.

Elle parla, parla jusqu'à près de minuit et je ne me souviens plus s'ils m'ont bouté dehors ou si je m'en suis allé de moi-même. De ma vie, je n'ai entendu mieux parler ni de façon plus intéressante. Sur le seuil de la porte, tandis que tout ému, je passais une main dans mes cheveux, je m'écriai : " Sur cette terre une seule femme aurait pu me rendre heureux et c'est Rahel! " »

En 1830 parvint à Rahel une lettre, pour le moins inattendue de son vieil ami-ennemi Frédéric Gentz, devenu le chevalier de Gentz. Avec son sûr instinct, il parla de son goût pour les poèmes de Heine, créant ainsi à nouveau une sorte de complicité entre eux deux, puis vint, ce qui était l'essentiel, la confession du grand amour, que lui, vieil homme de soixante-cinq ans, portait à une jeune personne de dix-huit ans. Fanny Essler, danseuse attachée à l'Opéra de Vienne, semble avoir partagé son sentiment. « Il me faut compter, écrivit-il, sur votre esprit ouvert, sur votre tolérance, pour ne pas craindre après un tel aveu une condamnation sans pitié et sans appel. »

S'il se fut agi de tout autre, malgré sa largesse de vue, il n'est pas impossible que telle eût été en effet la réaction de Rahel. Mais Gentz éveillait en elle une certaine forme de complicité. En l'occurrence, sans doute, éveilla-t-il aussi sa curiosité. Celle-ci fut très vite satisfaite, la jeune personne ne tarda pas à se montrer dans le salon Varnhagen où elle plut. Rahel admira la chance — le goût aussi — de celui qui avait tant arraché à la vie. Ses lettres à un

Gentz vieillissant et heureux témoignent de la plus compréhensive amitié.

Gentz ne put jouir longtemps de son bonheur, il quitta cette terre dont les biens l'avaient tant séduit. Il mourut « bercé, dit Chateaubriand, par une voix affectueuse », et à cause de cette voix ayant sans doute cessé de redouter la mort, cette mort dont l'idée autrefois le terrifiait.

Peu à peu, les compagnons de jeunesse de Rahel disparaissaient. On mourait tôt à l'époque, soit dans les combats, soit par maladie. En 1830, le choléra éclata dans presque toute l'Europe. Ce qu'il fut pour Paris, Heine qui s'y trouvait alors nous l'a fait savoir dans des pages d'un intense relief. Dans l'entourage de Rahel il atteignit Hegel qui en mourut. Vers la même époque disparurent, à de courts intervalles, deux frères de Rahel dont Louis, celui qui lui était le plus proche et qui fut l'un des animateurs de son premier salon. Sa femme, charmante personne qui avait séduit Heine, le suivit de peu.

La mort, Rahel y avait beaucoup pensé dans sa jeunesse, au moment surtout où il lui semblait vivre dans la solitude, ou du moins dans l'incompréhension totale. Un jour, elle alla jusqu'à dire à Varnhagen que longtemps « elle avait pensé que sa mort ne peinerait qui que ce fût. Mais ensuite, ajouta-t-elle, j'ai su que, toi, elle te peinerait; et c'était bien la première fois de ma vie que j'éprouvais pareille certitude et je prenais en même temps conscience qu'elle était nouvelle pour moi ».

Devant le choléra, elle eut une curieuse réaction : « Je suis la plus affreuse aristocrate qui soit, déclara-t-elle : je veux une destinée personnelle. Je ne veux pas mourir d'une épidémie comme un épi perdu dans la foule, consumée par des émanations pestilentielles. Je veux mourir seule, de mes propres maux et pouvoir dire " Me voilà comme je suis, avec mon caractère, mon tempérament, ma nature physique, mon destin particulier. " »

C'est peut-être animée par cette exigence qu'elle avait écrit, lors de la disparition volontaire de Kleist, une lettre révélatrice quant à ce qu'elle-même pensait de la mort. La vie de Kleist n'avait été qu'une succession d'échecs et cela bien qu'il possédât tout — y compris le génie — ce qui aurait dû lui permettre d'atteindre au succès. Mais Goethe lui-même, qu'il admirait, avait rejeté sa *Penthésilée*. Rahel ignorait ce fait, quand elle informa Marwitz du suicide de Kleist : « Ce geste ne m'étonne pas de la part de Kleist. Il en allait durement en lui-même, il était sincère et souffrait terriblement. [...]

» Vous savez ce que je pense de la mort volontaire : la même chose que vous! Et jamais je n'entends parler de cet acte sans m'en réjouir! Je n'aime pas que l'homme, ce malheureux, boive la coupe jusqu'à la lie. [...]

» Nous ne pouvons totalement comprendre personne, nous devons mettre notre espoir dans la bonté divine; et celle-là devrait, précisément, trouver ses limites devant un coup de pistolet? Il serait permis à des malheurs de toutes sortes de m'atteindre, n'importe quelle misérable fièvre, n'importe quelle bûche, n'importe quelle tuile tombée d'un toit, n'importe quelle maladresse aurait ce droit, moi seule je ne l'aurais pas! Je devrais me laisser ronger par les maladies, accepter de végéter sur des lits de misère et, si les choses vont bien, devenir à quatre-vingts ans un imbécile heureux et déjà, à partir de trente ans, me détériorer de façon répugnante? Je suis heureuse à l'idée que mon noble ami — car avec tristesse et les larmes aux yeux je le qualifie ainsi — n'ait pu tolérer ce qui était indigne de lui. Comprenez-moi. Aucun de ceux qui le blâment ne lui aurait donné dix thalers, ne lui aurait consacré ses nuits, n'aurait eu d'indulgence s'il s'était montré dans toute sa détresse. Ils n'auraient cessé de se demander s'il était dans son tort ou s'il avait raison, s'il avait droit à une tasse de café! J'ignore tout des circonstances de sa mort mais sais seulement qu'il a d'abord tiré sur une femme, puis sur lui-même. Ce qui est, qu'on le veuille ou non, un geste courageux. Qui d'entre nous ne quitterait cette vie usée, incorrigible, s'il ne redoutait plus encore les sombres possibilités? »

Il y avait parfois en Rahel un aperçu de l'existence — donc de la mort — sous une forme presque bouddhique, ainsi quand elle écrit : « Ah, nous ne sommes qu'une goutte de conscience. Je voudrais tant retourner à la mer, n'être rien d'exceptionnel. » Son fond religieux lui inspirait une immense confiance dans la bonté divine et cela depuis son enfance. N'avait-elle pas rêvé au cours de la septième année qu'il lui était donné de « voir le bon Dieu de tout près »? « Il avait étalé son manteau qui était le ciel entier, au-dessus de moi. J'ai eu le droit de reposer sur un coin de ce manteau et je m'y étendis toute proche du sommeil. Depuis, à intervalles, tout au long de ma vie, j'ai fait ce rêve et aux pires moments de ma vie cette image, même à l'état de veille, s'est imposée à moi et m'a été une consolation céleste : j'avais le droit de me coucher aux pieds du Seigneur, de m'étendre sur un coin de son manteau. »

Les quatre dernières années de sa vie furent pénibles, elle fut presque toujours souffrante. La maladie ne lui laissait que de courts répits : les rhumatismes, la goutte, l'asthme, la harcelaient. Mais dès qu'elle allait mieux, elle faisait illusion. D'ailleurs, elle souffrait surtout la nuit. Ne pouvant plus monter les escaliers, elle n'allait plus guère au théâtre ni au concert. Mais les réunions continuaient chez elle bien qu'il lui fallût souvent prendre congé de ses hôtes avant la fin de la soirée. A la vérité elle recevait surtout des intimes, des intimes de longue date, d'autres plus récents, mais sa participation au monde resta forte. Et aussi la conscience que sa vie n'était pas un échec : « J'ai expérimenté le malheur, cela a été mon grand talent, mon éminente supériorité, mais je me suis libérée de cette sphère : mon billet de loterie est sorti », écrivit-elle alors.

Jusqu'au bout Varnhagen resta pour elle le

compagnon qu'il s'était toujours montré. Elle morte, il continua d'être le servant de son culte. Il lui fallut six mois pour rassembler et faire paraître un recueil de ses lettres : *Livre du souvenir destiné à ses amis.* Plus tard, il fit paraître sous diverses formes des « portraits biographiques de son entourage » accompagnés de lettres, livres qui furent lus avec passion. Déjà l'époque dont témoignaient ces documents prenait quelque recul. En Allemagne, la « nouvelle Allemagne » succédait au romantisme. Des troubles politiques s'annonçaient, précurseurs de 48. Heine, Börne avaient dû s'exiler. Varnhagen quant à lui poursuivait sa carrière de mémorialiste, Saint-Simon au petit pied. Il est difficile aujourd'hui de ne pas se référer à son œuvre si on veut se faire une idée de ces années, grosses de tout ce qui compte dans les nôtres.

Avec son habituelle méticulosité, Varnhagen exécuta les dernières volontés de son épouse. Il tint compte de toutes ses précisions, celles concernant sa servante, « la fidèle Dore », celles concernant le lieu de son dernier repos. Rahel avait toujours redouté d'être enterrée vivante aussi avait-elle demandé qu'un couvercle de verre recouvrît son cercueil et qu'on déposât celui-ci dans une petite bâtisse extérieure et non point dans la terre. Dans ce dernier abri, Varnhagen plus tard vint la rejoindre. Pourtant six mois après sa mort, il était fiancé. En quoi il eut raison : un veuvage ostentatoire n'eût rien ajouté à sa gloire ni à celle de Rahel.

Plus intéressant que ce détail, qu'il m'a néanmoins semblé devoir donner, sont les presque dernières paroles de celle qui éprouva si durement la condition juive :

« Quelle histoire, me voici en ce lieu, moi une réfugiée d'Egypte et de Palestine et j'y trouve aide, amour et soins de votre part... Avec un noble ravissement je pense à mes origines et à tous ces enchaînements de destins grâce auxquels les plus vieux souvenirs de l'humanité sont reliés au plus récent état de choses, les époques et les lieux les plus distants rapprochés les uns des autres. Ce qui si longtemps m'est apparu comme le plus grand opprobre, la plus dure souffrance, le plus dur malheur, être née juive, à aucun prix, je voudrais ne pas l'avoir connu. »

Si Rahel a pu dire ces mots, c'est que les Juifs, dans certains pays du moins, avaient pu enfin participer au mouvement culturel de leur entourage. A peine libérés, et souvent de façon toute provisoire, des pires contraintes, des pires humiliations, leur apport se montrait précieux, sans doute indispensable, parce que marqué de cette ouverture particulière que donne le contact avec des civilisations diverses. Et cela plus que partout ailleurs dans ce centre de l'Europe clos sur lui-même depuis les grandes invasions et ravagé par des guerres successives. L'ouverture créée par la Révolution, le contact avec la France napoléonienne agirent comme un ferment, action que vint renforcer l'apport juif. « Le Juif allemand est le pilier de la civilisation occidentale », a dit Michel Tournier. Tout cela j'aimerais croire que Rahel le pressentit, quand, sur son lit de mort, elle prononça ses dernières paroles.

« Le 7 mai 1833, il y a quatre ans et demi, Rahel, âgée de soixante-deux ans, est morte à Berlin, où elle était née », écrivit Custine dans un article qu'en 1837 fit paraître La Revue de Paris.

» Je l'ai connue en 1816. C'était une femme aussi extraordinaire que Mme de Staël, par les facultés de l'esprit, par l'abondance des idées, la lumière de l'âme et la bonté du cœur : elle avait de plus que l'auteur de Corinne *le dédain de l'éloquence; elle n'écrivait pas. Le silence des esprits comme le sien est une force. Avec plus de vanité, une personne aussi supérieure aurait cherché à se faire un public; Rahel n'a voulu que des amis. Elle parlait pour communiquer la vie qui était en elle; jamais elle ne parlait pour être admirée.*

» Je laisse aux esprits doués de plus de sagacité que je n'en ai de décider si l'obscurité dont elle n'a jamais essayé de sortir, était la conséquence inévitable de l'excès de vivacité qui l'empêchait quelquefois de coordonner ses idées de manière à les faire adopter par la foule, ou si sa foi, dans la spiritualité de l'âme, lui montrait d'un coup d'œil l'inutilité de

toutes les créations de l'art humain, où la forme entre toujours pour beaucoup, et la retenait volontairement dans le quiétisme. La contemplation de la nature et de la providence qui la dirige était pour elle une jouissance si vive, que ce spectacle, considéré du point de vue élevé où elle était placée, suffisait à son activité. La vie, pour elle, était un travail continuel; mais elle n'en a pas fait d'autre. Ses lectures même devenaient des conversations; elle vivait, elle discutait avec les livres comme avec des personnes. L'intensité de sa vie était telle qu'elle animait tout sans le vouloir; elle faisait plus que percevoir, elle personnifiait les idées; son intelligence était un monde où tout avait son emploi, comme dans le monde de Dieu. Jamais esprit plus productif ne fut moins connu de la foule; dans des sociétés dont les forces seraient autrement combinées que celles du monde où nous vivons, Rahel aurait été pour les nations ce qu'elle était pour un petit cercle d'amis intimes : la lumière des esprits, le guide des âmes.

» Les Lettres recueillies et publiées depuis sa mort, n'étaient point des œuvres; c'étaient des éclairs qui partaient de son cœur et de son brillant esprit pour toucher le cœur de ses amis. Pour elle, écrire ce n'était pas briguer la gloire, c'était chercher un remède à l'absence.

» Il me semble qu'on peut la définir d'un mot : elle avait l'esprit d'un philosophe avec le cœur d'un apôtre; et malgré cela elle était enfant et femme autant qu'on peut l'être. Son esprit pénétrait dans les obscurités les plus profondes de la nature; elle

pensait avec autant de force et plus de clarté que notre théosophe Saint-Martin, qu'elle comprenait et admirait, et elle sentait comme un artiste. Ses perceptions étaient toujours doubles; elle atteignait aux vérités les plus sublimes par deux facultés qui s'excluent chez les hommes ordinaires; par le sentiment et par la réflexion. Ses amis se demandaient d'où sortaient les éclairs de génie qu'elle lançait dans la conversation. Etait-ce le résultat de longues études? Etait-ce l'effet d'inspirations soudaines? C'était l'intuition accordée pour récompense par le ciel aux âmes vraies; ces âmes martyres luttent pour la vérité qu'elles pressentent, souffrent pour le Dieu qu'elles aiment et leur vie entière est l'école de l'éternité.

» La moisson d'idées fécondes, d'expressions soudaines, originales, sublimes, piquantes, d'aperçus neufs et surprenants, qu'on recueille en lisant ces trois volumes de lettres (recueillies et publiées après sa mort), montre ce qu'aurait pu produire en littérature celle qui les a écrites, non pour écrire, mais pour manifester et pour étendre sa bienfaisante existence.

» Si je n'avais pas connu Mme de Varnhagen, je ne serais peut-être pas aussi persuadé que je le suis d'une vérité consolante, c'est que le vulgaire juge les hommes sur ce qu'ils ont fait, tandis que les esprits supérieurs les apprécient d'après ce qu'ils pourraient faire. C'est ainsi que Rahel jugeait, et c'est ainsi qu'elle a le droit de demander qu'on la juge. »

Repères chronologiques

1771 — Naissance à Berlin. Fille de Juifs aisés. Trois enfants l'avaient précédée, morts presque dès leur naissance.
1780-90 — Amitié avec David Veit, étudiant en médecine du même âge qu'elle. Première correspondance suivie. En France, prise de la Bastille. Premier salon de Rahel, dans la « mansarde » que son père, avant de mourir (en 1789) avait mise à sa disposition. Jusqu'en 1806, elle y recevra l'élite culturelle allemande : les frères Schlegel, les deux Tieck, les deux Humboldt, Schleiermacher, Jean-Paul et aussi Frédéric Gentz, futur bras droit de Metternich, le prince Louis-Ferdinand de Prusse. Se joindront à eux : Gustave de Brinckmann, diplomate suédois et Guillaume de Burgsdorff, l'un et l'autre grands « rabatteurs » de son salon. Enfin des femmes, souvent actrices ou du moins, femmes très libres de mœurs.

Au cours de ces années, Rahel rencontre Goethe à Teplitz. Court entretien.
1795 — Fiançailles avec Finckenstein, hobereau prussien.

1799 — En France, coup d'état du 18 Brumaire.
1800 — Rupture de ses fiançailles avec Finckelstein.
1800-1801 — Séjour à Paris. Amitié avec Bockelmann, jeune Hambourgeois. Correspondance.
1801 — Retour à Berlin, après un crochet par Amsterdam où vit sa sœur Rose, mariée à un Juif hollandais.
Fin 1801 — Fiançailles avec un jeune diplomate espagnol : don Raphael d'Urquijo. Rapport passionné.
1804 — Rupture des fiançailles avec Urquijo.

En France : couronnement de Napoléon.

Rahel fait la connaissance de Mme de Staël, sur la demande de cette dernière.
1805 — Bataille d'Iéna, prise de Berlin. Blocus continental.

Rahel commence à connaître des difficultés financières. Nombre des fidèles de son salon quittent la capitale. Mort au combat du prince Louis-Ferdinand. Publication de la *Phénoménologie de l'esprit* de Hegel.
1807 — Naissance du patriotisme allemand.

Discours à la nation allemande de Fichte. Rahel se rend à ses conférences.
1808 — Amitié puis liaison amoureuse avec le jeune Auguste Varnhagen, alors étudiant en médecine à Tübingen. Rahel change d'appartement.
1809 — Varnhagen interrompt ses études, se rend à Berlin, puis s'engage dans l'armée autrichienne. Participe à la bataille de Wagram. La mère de Rahel meurt.

Chateaubriand fait paraître *les Martyrs,* Goethe *les Affinités électives.* Rahel se lie d'amitié avec Alexandre von der Marwitz. Grand échange de correspondance.

1810 — Réformes en Prusse sous l'influence du ministre Hardenberg.

Egalité (provisoire) des Juifs avec les autres Prussiens.

1811 — Vacances de Rahel et Varnhagen à Teplitz. Rencontre avec Beethoven. Suicide de Kleist.

1812 — Campagne de Russie. Paix provisoire en Prusse. Varnhagen fait paraître des extraits de la correspondance qu'il a eue avec Rahel concernant Goethe. Ce dernier a autorisé cette publication qu'il juge intéressante.

1813 — La Prusse déclare la guerre à la France. Varnhagen s'engage dans l'armée russe. Rahel quitte Berlin pour se rendre à Prague où elle habitera chez l'amie de l'ex-commandant de Varnhagen. Elle participe activement aux secours portés aux blessés. Marwitz, blessé et prisonnier, parvient à s'évader et se rend à Prague où Rahel l'accueille. Elle fait la connaissance de Weber.

Rahel souffrant de rhumatismes aigus est obligée d'arrêter ses activités.

1814 — Abdication de Napoléon.

Rahel et Varnhagen se rejoignent à Teplitz. Conversion de Rahel, en vue de son mariage.

Le mariage a lieu le 27 septembre 1814 à Berlin.

Dès octobre, Varnhagen se rend en qualité

d'attaché diplomatique au Congrès de Vienne. Rahel le rejoint à Vienne en octobre.

1815 — Retour de Napoléon de l'île d'Elbe en mars. Varnhagen accompagne le ministre Hardenberg à Paris.

Juin 1815 — Bataille de Waterloo.

Rahel passe quelque temps non loin de Vienne, à Baden, puis se rend à Francfort où Varnhagen, trois mois plus tard, viendra la rejoindre. Entretemps elle a, pour la seconde fois, rencontré Goethe. Naissance de l'amitié avec Custine qui deviendra aussi l'ami de Varnhagen.

Juillet 1816 — Varnhagen est nommé à Carlsruhe. Il s'y rend avec Rahel.

1820 — Varnhagen est rappelé de son poste. Il restera « à la disposition » du gouvernement prussien et touchera une pension. Retour à Berlin.

Naissance du second salon (littéraire et politique) de Rahel. Parmi ses fidèles se trouvent Henri Heine, Bettina Von Arnim, Frédéric Hegel, Borne.

1830 — A Paris, « bataille » d'*Hernani*.

1831 — Epidémie de choléra à Berlin.

1832 — Mouvements antisémites et réactionnaires en Prusse.

1833 — Mort de Rahel le 7 mars.

1834 — Varnhagen fait paraître *Rahel, un livre du souvenir pour ses amis.*

Index des noms cités

ARNDT Ernst Moritz (1769-1860), professeur d'histoire, patriote frénétique, écrivain médiocre.

ARNIM Achim von (1781-1831), écrivain romantique. Recueillit avec Brentano des chansons populaires.

BRENTANO Clemens (1778-1842), écrivain romantique, auteur de contes. Devenu mystique, il se consacra à Catherine Emmerich.

BRENTANO Bettina, épouse Von Arnim (1785-1859), admiratrice de Goethe. Auteur de la *Correspondance (quelque peu fantaisiste) de Goethe avec un enfant.*

CHAMISSO Adalbert von (1781-1838), fils d'émigrés français. Ecrivain, auteur la *Merveilleuse Histoire de Peter Schlemihl,* l'homme qui a perdu son ombre.

FORSTER Johann Reinhold (1729-1798), professeur de sciences naturelles. Sympathisant de la révolution, collabora avec les Français durant la brève existence de la République de Mayence. Mourut jeune à Paris.

FICHTE Johann Gottlieb (1762-1814), philoso-

phe. Après la défaite d'Iéna, devint le porte-parole du patriotisme prussien. Prononça devant un public bouleversé ses *Discours à la nation allemande.*

GENTZ Frédéric, publiciste puis homme d'Etat. Passa de la sympathie pour la Révolution française à des sentiments nettement antirévolutionnaires. Fut le collaborateur de Metternich.

GORRES Johann Joseph von (1776-1848), professeur. D'abord partisan de la Révolution française, il devint ensuite un adversaire acharné de Napoléon. Se convertit au catholicisme et fit paraître des écrits religieux.

GRIMM Jacob (1785-1863), philologue. Recueillit avec son frère Guillaume, les fameux contes.

GRILLPARZER Franz (1791-1872), dramaturge autrichien, auteur d'œuvres souvent jouées et qui le méritent.

HARDENBERG Charles-Auguste, prince von (1750-1822), Ministre. D'abord libéral puis réactionnaire.

HEINE Henri (1797-1856), poète lyrique et publiciste, grand écrivain.

HOFFMANN Ernst (1776-1822), écrivain romantique, auteur des *Elixirs du diable,* du *Chat Murr* et d'autres contes fantastiques.

HUMBOLDT Alexandre, baron von (1769-1859), fit des voyages d'étude en Amérique du Sud, vécut longtemps à Paris.

HUMBOLDT Guillaume de (1767-1835), linguiste et diplomate. Responsable de l'université de Berlin. Libéral, mis à pied en 1819.

KLEIST Heinrich von (1777-1818), écrivain. Dirigea la revue *Phébus*. Auteur, entre autres de *la Cruche cassée*, de *Penthésilée*, du *Prince de Hombourg* et de *Michel Kohlhaas*. Après une vie pathétique, se suicida avec une femme.

NOVALIS (baron von Hardenberg, dit) (1772-1801). Poète, l'un des plus importants écrivains du romantisme allemand.

SCHARNHORST, Gerhard Johann David von (1755-1813), officier. Participa à la réorganisation de l'armée prussienne. Mourut des suites de ses blessures à Prague en 1817.

SCHELLING Friedrich Wilhelm Joseph von (1775-1854), philosophe, eut une grande influence sur les romantiques.

SCHLEGEL, August Wilhelm von (1767-1845), théoricien du romantisme, critique littéraire, un des découvreurs de l'« âme allemande », poète moyen, excellent traducteur de Shakespeare. Vécut quelques années auprès de Mme de Staël.

SCHLEGEL Friedrich von (1772-1829), un des principaux théoriciens (comme son frère) du romantisme, directeur de revues (un peu le Paulhan de l'époque), auteur d'un roman qui fit scandale *la Lucinde*. Se convertit au catholicisme.

SCHLEGEL Caroline, jeune veuve du médecin Böhmer. Après une aventure avec un officier français, épousa August Wilhelm Schlegel, qu'elle quitta pour Schelling.

SCHLEIERMACHER Friedrich (1768-1834), pasteur, fondateur d'une théologie. Prédicateur qui eut un grand rayonnement. Professeur.

STEIN Karl, baron von (1757-1831), ministre en 1807.

TIECK Ludwig (1773-1854), écrivain romantique. Auteur des *Pérégrinations de Franz Sternbald.* Publia des contes populaires.

WACKENRODER Wilhelm Heinrich (1773-1798), auteur romantique. Ecrivit *les Effusions d'un moine amateur d'art.* Mourut jeune.

WERNER Zacharias (1768-1823), auteur dramatique, célèbre surtout par son « girouettisme » religieux. Fut longtemps l'hôte de Mme de Staël.

Je tiens à remercier ici Friedhelm Kemp, dont les quatre volumes de correspondance de Rahel, qu'il vient de faire paraître, m'ont été d'une grande aide ainsi que ses conseils et son amitié. Je veux aussi remercier Albrecht Betz qui eut la gentillesse de me signaler les plus récentes publications allemandes concernant Rahel et son entourage.

Ouvrages publiés au 31 mars 1980

Documents, Essais, Histoire

VENDANGES AMERES, Emmanuel Maffre-Baugé.
MA ROUTE ET MES COMBATS, André Bergeron.
DUEL ROUGE, François Missoffe.
MENDES FRANCE, Alain Gourdon.
PROPOS DE MAUVAIS GOUT, Julien Cheverny.
LA LIBERTE TOMBEE DU CIEL, Henri Deplante.
QUESTIONNAIRE POUR DEMAIN, Jean-Louis Servan-Schreiber.
LA GAUCHE PEUT SAUVER L'ENTREPRISE, Jean Matouk.
POUR UNE POIGNEE DE BOUDIN, Serge Adam.
EUROPES, Jacques Huntzinger.
DOSSIER NEO-NAZISME, Patrice Chairoff.
SOLUTIONS SOCIALISTES, Serge-Christophe Kolm.
20 h 07, 19 MARS 1978. LEGISLATIVES : LA GAUCHE BATTUE, Frédéric Moreau.
CLUBINOSCOPE 78, Gérard Carreyrou, Richard Artz et Martine Marcowith.
ET SI ON ALLAIT FAIRE UN TOUR JUSQU'A LA POINTE? Ou dix ans d'histoire des Français en vacances et en voyages, Jean-Francis Held.
LE PULL-OVER ROUGE, Gilles Perrault.
DEFI DU MONDE. CAMPAGNE D'EUROPE, Edgard Pisani.
LE POUVOIR INTELLECTUEL EN FRANCE, Régis Debray.
LA BEAUTE DU METIS, Guy Hocquenghem.
HISTOIRE DU SOLDAT, DE LA VIOLENCE ET DES POUVOIRS, Alexandre Sanguinetti.
L'ARME DU RIRE. L'HUMOUR DANS LES PAYS DE L'EST, Viloric Melor.
VINCENT MOULIA, LES PELOTONS DU GENERAL PETAIN, Pierre Durand, préfacé par Armand Lanoux.
CALINE, Serge Delarue.

LES FEMMES PREFERENT LES FEMMES, Elula Perrin.
TANT QU'IL Y AURA DES FEMMES, Elula Perrin.
ATTENTION CAMPAGNE! Franz-André Burguet.
LA VIE A BOUT DE BRAS, Michel Lardy.
TON AVENTURE, PEUPLE DE GAUCHE 1920-1979, Guy Perrimond.
78, SI LA GAUCHE L'EMPORTAIT, Sous la direction de J.-F. Held.
DAME L'ECOLE, André Henry.
IL ETAIT PLUSIEURS « FOI », Monique Gilbert.
POUR QUELQUES CHRETIENS DE PLUS, Claude Gault.
JOUER AU PAPA ET A L'AMANT — DE L'AMOUR DES PETITES FILLES, Nancy Huston.
MEMOIRES, Madame Campan, première femme de chambre de Marie-Antoinette.
DES FOUS DE MER, Henri Bernard. Ramsay « image ».
BABOUCHKA, Marina Vlady, Hélène Vallier, Odile Versois, Olga. Baïdar-Poliakoff. Ramsay « image ».
LA VIE AVANT LA VIE, Hélène Wambach. Ramsay « image ».
LE FOOTBALL-BUSINESS, Daniel Hechter. Ramsay « Image ».
MEMOIRES VOLEES, Jean-Hervé Lorenzi, Eric Le Boucher.
LES APPRENTIS SORCIERS, J. Rifkin et T. Howard.
LE P.C.F. DANS LA GUERRE, Stéphane Courtois.
LES INDIENS DU CANADA, Sabine Hargous.
Jean-Pierre Vittori présente : CONFESSIONS D'UN PROFESSIONNEL DE LA TORTURE. LA GUERRE D'ALGERIE. Ramsay « image ».
L'AFFAIRE PETIOT, Jean-François Dominique. Ramsay « image ».

Collection « L'âge de... »

LA JEANNE D'ARC EST ROUILLEE, Jacques Krier.

Romans, Récits

DEVENIR CECILE, Lionel Rocheman.
FORTERESSE SOLITUDE, Pierre Barluet.
DE QUEL AMOUR BLESSE, Huguette Maure.
LE PRIX D'UNE MERE, Ferdinand Freed.
SI L'ON POUVAIT PARLER D'AMOUR ET RIRE ENCORE! Chantal Demaizière.
ALLIGATOR, Shelley Katz.
SOUVIENS-TOI, ELEONORE! Caroline Babert.
ORCA, Arthur Herzog.
ENTRE DIEU ET DIABLE, Emmanuel Maffre-Baugé.
LA GUARDIA AIRPORT, Pierre de Plas.
CEREBRO, L. Frédefon, J. Davin.

LES JOURS TROP BLEUS, Pierre Dumoulin.
LE JUGEMENT DE POITIERS, Jean Demélier.
PLUS TARD AU BORD DU LAC, Marcel Domerc.
LE FILS-MERE, Gail Parent, traduction Erik Kahane.
LE DESERT DE L'IGUANE, Alain Dubrieu.
STALINODIE, Pierre Hulin.
UN LYCEEN A BUCHENWALD, Jacques Bailly. Ramsay « image ».
REVE D'INCESTE, Elisabeth Mesner. Ramsay « image ».
BALLADE POUR UN PERE, Xavier Emmanuelli.
LA TABLE D'ASPHALTE, Rezvani.

Collection « Mots »

BALACE BOUNEL, Marco Koskas.
LE CAILLOU, Clarisse Nicoïdski.
RIDES, Charles Simmons, traduction Gilles Chahine.
LE MARIN BLANC DU PRESIDENT, Jerome Charyn.

Mémoires de Saint-Simon

1-1691-1694, Présenté par F.-R. Bastide.
2-1695-1699, Présenté par Ph. Erlanger.
3-1699-1702, Présenté par le duc de Castries.
4-1702-1705, Présenté par J.-L. Curtis.
5-1705-1707, Présenté par J. de Lacretelle.
6-1707-1709, Présenté par Sainte-Beuve.
7-1709-1710, Présenté par E. Le Roy Ladurie.
8-1710-1711, Présenté par Hippolyte Taine.
9-1711-1713, Présenté par Didier Martin.
10-1713-1714, Présenté par Barbey d'Aurevilly.
11-1714-1715, Présenté par André Maurois.
12-1715-1716, Présenté par Henri de Montherlant.
13-1717-1718, Présenté par le duc de Lévis Mirepoix.
14-1718, Présenté par René Girard.
15-1718-1720, Présenté par Erik Orsenna.
16-1720-1721, Présenté par J.-C. L. de Sismondi.
17-1721-1723, Présenté par Ph. Sollers.
18-Table alphabétique générale des Mémoires.

Collection « La Vie Antérieure »

HENRI QUATRE, Gaston Bonheur.
CALLAS, UNE VIE, Pierre-Jean Rémy.

L'ENRAGE, Dominique Rolin.
CORTES OU LE COMBAT DES DIEUX, Jean Duché.
LES CINQ GIROUETTES, Jean-Louis Bory.

Collection « Reliefs »

Philippe Ariès présente : LA CIVILITE PUERILE, Erasme.
André Fermigier présente : TROIS MAITRES, Alexandre Dumas.
Michel de Certeau présente : LES GRANDS NAVIGATEURS DU XVIIIe SIECLE, Jules Verne.
Henri Guillemin présente : DE L'ABSOLUTIME ET DE LA LIBERTE, F. de Lamennais.
Dominique Fernandez présente : TRAITE DES EUNUQUES, Charles Ancillon.
Michel Tournier présente : ESSAI SUR LES FICTIONS, Germaine de Staël.
Gérard Guégan présente : THEORIE DE L'AMBITION, Hérault de Séchelles.

Beaux Livres

ISRAEL, OMBRES ET LUMIERES, sous la direction de Joseph Kessel.
CHEFS-D'ŒUVRE DE LA PHOTO EROTIQUE.
ANTHOLOGIE DU VERS UNIQUE, GEORGES SCHEHADE.
LA DERNIERE MODE, GAZETTE DU MONDE ET DE LA FAMILLE, Stéphane Mallarmé.
GUIDE PRECIEUX DES APHRODISIAQUES, Antoine Grenelle.
INTREPIDE EUROPE, Chenez.
L'OPERA de 1597 à nos jours.
Jean-Michel Royer présente : LES MEMOIRES DE M. D'ARTAGNAN.
LUIS MARIANO, Jean-Louis Chardans. Ramsay « image ».

Collection « Nostalgie »

LES GRANDS GOALS DE L'HISTOIRE, Philippe Robrieux.
HISTOIRE DE PIAF, par Monique Lange.
LE VEL'D'HIV', Liliane Grunwald et Claude Cattaert.

Collection « Fureurs du Temps »

LA FRANCE A L'ABATTOIR, Pierre Bourgeade.
ASSEZ MENTIR, Vercors/Olga Wormser-Migot.
DIEU, QUE LA CRISE EST JOLIE! Philippe de Saint-Robert.

Collection « Spectacle »

LE CENTRE POMPIDOU, UNE NOUVELLE CULTURE, Robert Bordaz.
LE CINEMA ET MOI, Sacha Guitry. Présenté par F. Truffaut.
LETTRES SUR LA DANSE, NOVERRE. Présenté par Maurice Béjart.

Collection « Les Témoins du Sport »

FOOTBALL EN LIBERTE, Michel Hidalgo.
AVANTAGE FRANCE! F. Jauffret — Ch. Quidet.

Guides Pratiques

OU JOUER AU TENNIS, Gilles Lambert, Michel Sutter.
GUIDE KRONENBOURG DE L'ALSACE AUTHENTIQUE, Jacques Legros. Nouvelle édition 1980.
BIEN MANGER PRES DES AUTOROUTES, Pierre Amalou.
BIEN VIVRE SA GROSSESSE, Pr Yves Malinas.
L'AIDE-MEMOIRE DE LA JEUNE MAMAN, Marguerite Kelly, Elia Parsons. Ramsay « image ».
LA CUISINE AUX FRUITS, Marc Giniès.
PATES ET RIZ — 230 FAÇONS DE LES ACCOMMODER, Elmo Coppi.
MES TABLES DE FETES, 31 RESTAURANTS PARISIENS, Claude Olievenstein. Ramsay « image ».
JEUX, ASTUCES ET BRICOLAGE DE SOIZIC, Soizic Corne. Ramsay « image ».

« Les livres femme pratique »

LE CAHIER DE COUTURE DE MAMAN, Françoise Lebrun.
DECORS DE TABLE, Béatrice Malan, Marine Jaquemin.
LA NOUVELLE CUISINE POUR CHIENS, Béatrice de Goutel.
L'ACCOUCHEMENT SECURITE, Docteur David Elia.
LES ENFANTS ET LE DIVORCE, Richard A. Gardner, présentation du Dr Julien Cohen-Solal.
LES VERTUS DES PLANTES, Maguelonne Toussaint-Samat.

Cet ouvrage a été réalisé sur
SYSTEME CAMERON
par Firmin-Didot S.A.
pour le compte des éditions Ramsay
le 6 mars 1980

Imprimé en Fance
Dépôt légal : 1er trimestre 1980
N° d'édition : 316 — N° d'impression : 5968

Int f.

10. 3. 80